子どもが育つ魔法の言葉

Children Learn What They Live

Parenting to Inspire Values

ドロシー・ロー・ノルト
レイチャル・ハリス
石井千春＝訳

PHP研究所

子どもが育つ魔法の言葉

子は親の鏡

けなされて育つと、子どもは、人をけなすようになる
とげとげした家庭で育つと、子どもは、乱暴になる
不安な気持ちで育てると、子どもも不安になる
「かわいそうな子だ」と言って育てると、子どもは、みじめな気持ちになる
子どもを馬鹿にすると、引っ込みじあんな子になる
親が他人を羨んでばかりいると、子どもも人を羨むようになる
叱りつけてばかりいると、子どもは「自分は悪い子なんだ」と思ってしまう
励ましてあげれば、子どもは、自信を持つようになる
広い心で接すれば、キレる子にはならない

誉めてあげれば、子どもは、明るい子に育つ
愛してあげれば、子どもは、人を愛することを学ぶ
認めてあげれば、子どもは、自分が好きになる
見つめてあげれば、子どもは、頑張り屋になる
分かち合うことを教えれば、子どもは、思いやりを学ぶ
親が正直であれば、子どもは、正直であることの大切さを知る
子どもに公平であれば、子どもは、正義感のある子に育つ
やさしく、思いやりをもって育てれば、子どもは、やさしい子に育つ
守ってあげれば、子どもは、強い子に育つ
和気あいあいとした家庭で育てば、
子どもは、この世の中はいいところだと思えるようになる

装　幀・渋川育由
本文画・ましませつこ

はじめに――詩「子は親の鏡」の生い立ち

ドロシー・ロー・ノルト

詩「子は親の鏡」を書いたのは、一九五四年のことです。当時わたしは南カリフォルニアの新聞に、豊かな家庭生活についてのコラムを連載していました。わたしには、十二歳の娘と九歳の息子がいました。地域の公開講座で家庭生活に関する講義を行い、保育園で子育て教室の主任を務めていました。後に、この詩が、世界中の人々に読まれることになるとは、まったく予想だにしていませんでした。

わたしは、詩「子は親の鏡」で、当時の親御さんたちの悩みに答えたいと思っていました。どんな親になったらいいのか、その答えをこの詩に託したのです。五〇年代のアメリカでは、子どもをきびしく叱ることが親の役目だと思われていました。子育てで大切なのは、子どもを導くことなのだと考える人はあまりいなかったのです。

子どもは親を手本として育ちます。毎日の生活での親の姿こそが、子どもに最も影響力を持つのです。わたしは、詩「子は親の鏡」で、それを表現したかったのです。

この詩は、長い間、様々な形で人々に親しまれてきました。アボットラボラトリー支社ロスプロダクツによって、詩の短縮版が病院で配布されました。そして、新しく親になる何百万人というお母さん、お父さんに読まれてきました。この詩はまた、十ヵ国語に翻訳されて世界中で出版されました。そして、子育て教室や教員セミナーのカリキュラムの一部として、教会や教室で使われてきました。この詩が、親御さんたちのよき道案内となり、励ましとなってくれればとわたしは願ってきました。わたしたち親は、子育てという、人生でいちばん大切な仕事にとりくんでいるのです。

一方で、詩「子は親の鏡」は、初めて出版されて以来、わたしの意志とは無関係に独り歩きしてしまいました。意味を取りちがえた書き替えや引用はもちろんのこと、商業的に利用されたこともありました。ある時、本屋で、こんな文句を目にしたこともあります。

「本にかこまれて育てば、子どもは知恵を学ぶ」

詩のタイトルも、いろいろとつけられました。たとえば、「子どもの信条」「親の信条」「子どもが学ぶこと」。日本では、「アメリカインディアンの教え」とされました(この詩はアメリカインディアンの子育ての知恵を説いたものだと誤解されてしまったのです)。それでも、詩「子は親の鏡」は、生きのびてきました。

こんなふうに自分の詩が独り歩きしてしまっているのを、わたしはしかたのないことだと思ってはいました。しかし、どうしても譲れないと思ったこともありました。たとえば、詩の最後の行をこう書き替えてあったのです。

「和気あいあいとした家庭で育てば、子どもは、この世に愛を見出せるようになる」

この世には愛がある、その愛を探し求めよ、というのはおかしいのではないかとわたしは思います。愛とは、わたしたち自身の心のなかにあるものです。心に愛のある人が、愛を生み出すことができるのです。そして、その愛が、人から人へと伝わっていくのです。愛とは、財宝や富のように探し求めるものではありません。わたしのオリジナルでは、詩の後半は、

「和気あいあいとした家庭で育てば、子どもは、この世の中はいいところだと思えるようになる」と記してあります。

わたしは、子どもたちが人生の荒波にもまれても挫けず、希望を持って生きてほしいという願いをこめて、この最後の一行を書いたのです。

詩「子は親の鏡」を、みなさんがこの先何かの雑誌で目にしたり、どこかの壁や誰かの家の冷蔵庫に貼りつけてあるのを見かけたりしたら、こんな詩の背景を思い出してください。たとえ「この詩は作者不詳《ふしょう》」と書いてあったとしても。

この詩と時代の流れ

時代の流れにしたがって、わたしもこの詩に手を加えてきました。以前は、英語の文法上の決まりにしたがって、「子ども（child）」という主語を、「彼（he）」という代名詞で受けていました。しかし、では、子どもには女の子は入らないのかというジェンダーをめぐる疑問が八〇年代に生まれてきました。そこで、わたしは、詩を書きなおしました。主語の「子ども」を複数形（children）にすることによって、女の子も男の子も含まれる代名詞（they＝「子どもたち」）で受けるように訂正したのです。

また、以前は一つの行であったものを、二つの行に書き分けました。

「親が正直で公平であれば、子どもは正直で正義感のある子に育つ」という一行を、

「親が正直であれば、子どもも正直になる」

と、

「子どもに公平であれば、子どもは、正義感のある子に育つ」

という二つに分けたのです。

子どもは、正直であることと公平であることとは違うと考えています。また、このように二つに分けることによって、正直であることと正義とは異なった価値観であるとい

うことを明らかにすることができました。

一九九〇年には、「やさしく、思いやりをもって育てれば、子どもは、やさしい子に育つ」という新しい一行を書き加えました。現代社会では、様々な文化的背景をもった、自分とは異なる人々が共存するようになっています。そんな複雑な現代社会を生きるには、人に対するやさしさがぜひとも必要です。そんな考えをもとに、わたしは、この一行を書き加えたのです。

このたび、この本を書くにあたって、「親が正直であれば、子どもも正直になる」という行を、わたしはもう一度、考えなおしてみました。五〇年代半ばにこの詩を書いたときには、「正直であること」は難しいことではありませんでした。けれども、あれから四十年以上たった今、わたしたちの日常生活や人間関係はとても複雑化しています。正直であることが、他の人々にとって、またその状況にとって、必ずしもよいことだとはいえない状況がますます増えているのです。

わたしは、最終的に、この行を「親が正直であれば、子どもは、正直であることの大切さを知る」と書き直しました。今の世の中では、常に正直であることは不可能でしょう。しかし、正直であることの大切さだけは、子どもに伝えなくてはならないのです。

この本の冒頭には、詩「子は親の鏡」が掲げてあります。これは、このような経緯を経て完成した、最新のものです。

この詩と読者のみなさん

この詩の読者のみなさんからは、今まで何度もあたたかい言葉をかけていただきました。あるお母さんに、「実は、この詩を、トイレに貼ってあるんです」と話しかけられたこともありました。このお母さんにとって、家のなかで一人になれる場所はトイレだけだったのでしょう。トイレは逃避所、親としての自信を失ったとき頭を冷やすために逃げこむ場所だと言っていました。この詩を、ガレージの作業台の上に貼っていると話してくれたお父さんもいました。二人とも、この詩を読んで、親としての自分を考えなおし、元気をとりもどすことができたと言ってくれました。

孫の、いいおばあちゃんになるために、この詩を読み返していると話してくれた方もいます。この方は、母親現役時代には、この詩を子育てのバイブルとして愛読していたそうです。また、あるお母さんは、この詩を読んで初めて子どもの育て方が分かったと手紙をくれました。ありがたいことに、このように詩「子は親の鏡」は多くのみなさんに愛読され、親のあり方の手本として読み継がれてきました。

わたしがこの詩で伝えたいことは、とてもシンプルです。子どもは常に、親から学んでいるということです。子どもは、いつも親の姿を見ています。ああしなさい、こうしなさいという親の躾《しつけ》の言葉よりも、親のありのままの姿のほうを、子どもはよく覚えています。親は、子どもにとって、人生で最初に出会う、最も影響力のある「手本」なのです。子どもは、毎日の生活のなかでの親の姿や生き方から、よいことも悪いこともすべて吸収してしまいます。口で何かを教え込もうとしてもダメなのです。親がどんなふうに喜怒哀楽を表すか、どんなふうに人と接しているか。その親の姿が、手本として、子どもに生涯影響力を持ち続けることになるのです。

子どもは、みな個性豊かです。自分で何かを創り出し、自分でものを考える力を持っています。親としての真の喜びは、その子の個性をのばし、生き生きした毎日を送ることができるように見守ることではないでしょうか。

子どもは、大切な家族の一員です。子どもは、自由で発想豊かです。そんな子どもの心を知れば、わたしたち親もまた、子どもと共に成長し、学ぶことができます。家族の絆を深めることができるのです。

みなさんは、わたしの詩を読まれて、「こういうことは、もう分かっている」と思われたかもしれません。たしかに、この詩は、みなさんが親としてすでに気づいておられることを言葉にしたものなのです。本書では、そんな詩「子は親の鏡」を一行ずつ取りあげ、詩の内容について詳しい解説を試みました。子育てについて読者のみなさんと語りあっているような気持ちで、わたしはこの本を書きました。詩「子は親の鏡」が、子育てをしているお母さんやお父さんにとって、ますます身近な存在になってくれることを心から願っています。

子どもは、本当に日々親から学んでいます。そして、大人になったとき、それを人生の糧として生きていくのです。

子どもが育つ魔法の言葉

目次

子どもが育つ魔法の言葉

けなされて育つと、子どもは、人をけなすようになる

子どもは、スポンジのように親の言葉や行動のすべてを吸収し、学びます。親がまねてほしくないと思っていることも、覚えてしまいます。ですから、もし、親が、わが子のことだけでなく、他人や世の中にも不満だらけで、いつも文句ばかり言っていたとしたらどうでしょうか。子どもは、そんな親から、人をけなすことを覚えてしまうでしょう。そして、自分自身のことも責めるようになってしまいます。物事のいい面をではなく、悪い面を見て生きていけと、子どもは教わってしまうのです。

不満だらけの親の気持ちは、ものの言い方や、ちょっとした仕草や目つきに表れます。相手に不満があるときには、自然に目つきや物言いがきつくなるものです。小さな子どもは、

こういう親の態度にとても敏感で、傷つきやすいものです。たとえば、「もう寝る時間ですよ」という一言にしても、言い方しだいで、まったく違った意味をもちます。いつも子どもにイライラしている親は、「なにをぐずぐずしているんだ」という非難をこめて、この一言を発するでしょう。子どもは、自分が責められていることを感じとります。そして、自分は愚図《ぐず》なのだと思ってしまうのです。

もちろん、わたしたちはだれでも、時には不機嫌になることがあります。つい小言や文句を言いたいときもあるものです。けれども、いつも不平不満を口にし、人の欠点をあげつらっているとしたら、話は別です。親がいつもそんなふうだとしたら、家の中は暗く、とげとげしくなってしまうでしょう。家庭を、そんな場所にはしたくないものです。家庭とは、子どもがのびのびできる安らぎの場であるはずです。そんな家庭をつくることが親の役目ではないでしょうか。

ついカッとなってしまったら

六歳のアビーは、台所のテーブルの上で、摘んできた花を花瓶にいけようとしていました。と、急に花瓶がひっくりかえってしまいました。花は散らばり、あたりは水浸《びた》しです。アビーは自分も濡れたまま、ただ泣いています。飛んできたお母さんは、カッとなって、怒《ど》鳴《な》りました。

「なにやってるの！　ほんとに、ぶきっちょなんだから！」

わたしたちは、ついカッとなって、こんなふうに子どもを怒鳴りつけてしまうことがありますね。もちろん次の瞬間には後悔するのですが……。疲れているときや、ほかのことで頭がいっぱいのときはなおさらです。しかし、こんなふうに子どもを怒鳴りつけてしまったら、すぐに態度をあらためるべきなのです。そして、これ以上子どもを責めたてないようにしなくてはなりません。アビーのケースもそうです。お母さんが冷静になり、怒鳴ったことを謝れば、後片づけはずっとスムーズにゆくでしょう。そうすればアビーは、花瓶を倒したことは悪かったとは思っても、自分が悪い子だとは思わずにすみます。アビーを責めつづけたら、アビーは、自分はぶきっちょでダメな女の子なのだと思うようになってしまうのです。

子どものためにならないとは分かっていても、わたしたちは、ついカッとなってしまうものです。カッとならないためには、意識的に気持ちをコントロールしなくてはなりません。

たとえば、アビーのお母さんは、アビーを叱りつけるのではなく、「どうして花瓶を倒しちゃったの？」と、アビーの行動について問いかけるべきなのです。そうすれば、アビーは、劣等感を植えつけられることはありません。お母さんは、なぜ花瓶を倒してしまったのか、そのときの状態をアビーに話させるべきでした。どうしたらうまくいったのか、それを一緒に考えさせればよかったのです。そうすれば、アビーは、失敗の経験から学ぶことができたでしょう。

事前に段取りをとっておき、やっていいことといけないことを子どもに言いきかせておけば、避けられる事態もあります。子どもは、親を怒らせたくて何かをしでかすわけではありません。ですから、親が、最初に、していいことといけないことを、はっきり伝えておくべきなのです。実際に何をしたらいいのか、それが分かるように、その子の年齢に合った、無理のない助言や具体的なアドバイスを与えてください。

ある雨降りの日、友だちと遊んでいた四歳のベンは、粘土で動物を作りたいと言いだしました。家計簿をつけていたお母さんは、めんどうくさいと思いました。でも、立ち上がり、こういう時のために取っておいた古いシャワー・カーテンを持ってきました。そして、それを広げながら、言いました。

「まん中で遊んでね。粘土がこぼれないように。これで、たくさん作れるわよ」

子どもたちは、粘土をこね始めました。ベンが言いました。

「包丁、使っていい？」

お母さんは答えました。

「包丁は、だめ。危ないから。おもちゃじゃないのよ。クッキーカッターなら、使っていいわよ」

「わかった。じゃ、へらも使っていい？」。ベンは尋ねます。

お母さんは「いいわよ」と返事をしながら、クッキーカッターとへらを取り出しました。そして、こう一言ベンに言いました。

「いい？　ちゃんと、おかたづけもするのよ」

ベンのお母さんは、最初はちょっとめんどうくさいと思ったでしょう。でも、きちんと用意をしたおかげで、カーペットにこびりついた粘土を剝《は》がしながら、子どもを叱りつけるはめにならずにすみました。それに、粘土遊びの小物に何を使うかも、子どもと言葉を交して、あわてずに選ばせることができました。たとえめんどうだとは思っても、できるだけ子どもの要望を尊重してください。そうすれば、子どもは自分が認められているのだと感じ、しっかりしなくてはと自覚するようになります。

そうは言っても、現実には、忙しかったり、そこまで気が回らなかったりすることはよくあることです。ある時、わたしの友人は、四歳になる娘のケイトがぐずぐずしているのを急《せ》き立てて、外出しました。その日は用事がたくさんありました。それに、ケイトの髪のカットにも行かなくてはならなかったのです。

「いそいで。カットに行くんだから。遅れちゃうわよ」

お母さんは言いました。

と、突然、ケイトは行きたくないと駄々《だだ》をこねだしました。お母さんはあきれて、ケイトに、「わがままだ」と言いました。ケイトは、その言葉がショックだったのでしょう。そのまま黙り込んでしまいました。

大人からすれば、つい口が滑って出てしまった言葉だったのでしょう。けれども、子どもにはそうは思えません。ケイトは、お母さんに、「おまえは、わがままだから、悪い子だ」と言われたと思ったのです。

ケイトは、しばらくして、気が落ち着きました。そして、実は前髪をこのまま伸ばしたいのだと打ち明けました。お母さんは、なんだ、そんなことだったのかと思い、わが子の顔をまじまじと見て言いました。

「分かったわ。お店の人に、そう言って、前髪は切らないようにしましょうね」

もし、お母さんが、朝の食卓で、カットについてケイトときちんと話をしていたら、二人とも、こんないやな思いはしなくてすんだはずです。

もちろん、どんなに気をつけていても、どうしても、子どもと衝突してしまうことはあるものです。大切なのは、そんなとき、どう接するかです。できるだけ、事情が許すかぎり、子どもに歩み寄ってください。ケイトのお母さんは、ケイトの要望を尊重し、聞き入れました。今回は、前髪を切らないという小さな事でした。しかし、こういう小さな事の積み重ねが、親に対する信頼を育てていくのです。そして、こんな積み重ねが、子どもが思春期に入ったとき、ものを言うのです。子どもが、自分の親は気持ちを受けとめてくれる親だ、信頼できる親だと思っていれば、将来、何か問題がもちあがったときにも、親に相談し、一緒に解決していこうと思うようになるのです。

上手な叱り方

親が子どもを叱るのは、たいてい、子どものためを思ってのことです。わたしたちの親も、今思えば、そうだったに違いありません（虫のいどころが悪いときには、どうしても、きつい言葉で叱ってしまうものではありますが……）。

しかし、子どもには、親が子どものためを思って叱っているのだということが分かりません。子どもは、叱られると、頑張ろうと思うよりも、がっくりしてしまいます。特に、幼い子どもは、叱られると、自分が嫌われているのだと思ってしまいます。自分のやったことを正されているだけなのだとは思えないのです。

では、上手な叱り方とは、どのようなものなのでしょうか。

まず、叱る前に、言葉を選ぶことです。子どもの心を傷つけるようなことを言ってはいけません。その子のやったこと、つまり、その子の行動を正すような言葉を使ってほしいのです。子どもの反応を見ながら、叱る言葉を選ぶのです。その子のやったことは間違っているが、その子を嫌いだから叱っているのではない、ということを伝えてほしいと思います。

ある日のことです。窓ガラスの割れる音を聞いた瞬間、ウィリアムのお父さんは、とうとうやったな、と思いました。お父さんは、リビングへ向かいました。床の上には割れたガラスが散らばっています。庭先には、八歳の息子が怯えた表情で立っていました。息子の足元には野球バットが転がっています。リビングの床の上にはボールが落ちていました。

「窓の近くで野球はしない約束だろう?」

お父さんは言いました。

ウィリアムはうつむき、小さな声で言いました。

「うん。でも、気をつけてやってたんだよ……」

「気をつけてたら、やってもいいのか?」

お父さんは厳しい声で言いました。

「窓のそばではやらない約束だろう」

「ごめんなさい」

謝れば済むと思って、ウィリアムは言いました。お父さんは、そんなウィリアムの顔を見つめながら、こう言いました。

「そうだな、ガラスは、おまえが弁償しなさい。当分、おこづかいはなしだぞ」

ウィリアムは、このお父さんの言葉に、やっと事の重大さに気がついたようでした。がっくりと肩を落としています。それを見たお父さんは、声を和《やわ》らげて言いました。

「お父さんも、ウィリアムぐらいの時、窓ガラスを割って、おじいちゃんに叱られたんだよ。弁償しなさいって」

ウィリアムの顔が少し明るくなりました。

「ほんと？」

「ほんとだよ。ずっと、おこづかいがもらえなかったんだよ。でも、それでこりて、二度とガラスは割らなかった。さあ、箒《ほうき》と塵《ちり》取りを取っておいで。いっしょにここを片づけよう」

子どもをいつまでも叱るのは、逆効果です。人間はだれしも間違いを犯すものです。それに、避けられない事故もあります。そういうとき、頭ごなしに子どもを叱りつけないようにしましょう。大切なのは、子どもが失敗から学べるように導くことです。なぜこういう結果になってしまったのかを理解させ、きちんと後始末ができるようにリードしてゆければよいのです。

小言を言っても子どもはよくならない

子どもに小言を言い、やることなすことにいちいち文句をつけるのも、子どもの意欲を挫《くじ》きます。それは、頭ごなしに叱りつけるのとおなじくらい、子どもにとっていやなことだからです。子どもは、「だめな子だ。なにもきちんとできない」と言われているように感じるのです。これでは、子どもはやる気を失ってしまいます。そして、親はますます小言を言うことになる……こういう悪循環に陥《おちい》ってしまいます。まだ小さな子どもでも、文句ばかり言う親にはうんざりして、聞こえないふりをするようになります。思春期に入った子どもなら、完全に無視するという反抗的な態度に出るかもしれません。

では、親は、どうするべきでしょうか。

「きっとできるはずだ」という肯定的な言い方をすることです。「どうせできないはずだ」という否定的な言い方は避けてほしいのです。たとえば、

「また、おもちゃ、出しっぱなしなんだから」ではなく、「おもちゃ、入れておいてね」

「また、ソックス、脱ぎっぱなしなんだから」ではなく、「ソックス、洗濯籠に入れておいてね」。

こんなふうに言うとよいのです。そうすれば、受ける印象は大違いで、子どもは気持ちよ

く聞けます。まだお手伝いの仕方が分からない幼い子どもには、こういう肯定的な言い方が特に大切です。そして、きちんとできたら、必ず誉めてあげるのです。

「ブロックがしまえて、本当に、偉いわね」

子どもは、こんなふうに肯定的な言い方をされれば、親の期待に応えようと、頑張るようになるものです。

子どものやったことに、いちいちケチをつけるのは、逆効果になるだけです。文句が言いたくなるのは、その子がどれだけできたかではなく、どれだけできなかったかを見てしまうからです。こんな否定的な物の見方は、大人だっていやだと思いますね。文句を言うくらいなら、どうすれば文句を言わなくてすむか、その対策を考えて行動に移すべきではないでしょうか。子どもも、そんな親の姿を見れば、手を貸したいと思うでしょう。文句ばかり言って何もしないような人間に、子どもを育てたくはないものです。

考えてみれば、わたしたちは、毎日ずいぶん文句を言って暮らしています。仕事のこと、他人のことはもちろん、天気にまでケチをつけています。もちろん、わたしたち人間というものは時には文句を言い、愚痴をこぼしたくなるものです。しかし、だからといって、いつも子どもに愚痴ばかりこぼしていてもいいかといえば、決してそんなことはありません。

子どもに、配偶者の悪口を言うのも、よくないことだとわたしは思います。たとえば、お母さんが、いつもお父さんの悪口を言っていたらどうでしょうか。子どもは、お母さんの味方をしなくてはならないと思って、いやいやお父さんを敵にまわさなくてはならなくなります。それは、子どもには辛いことです。お母さんとお父さんの間に挟まって、どうしていいか分からなくなってしまうからです。

おじいちゃんやおばあちゃんの悪口も、よくありません。子どもにとって、自分を可愛がってくれるおじいちゃん、おばあちゃんは、特別な存在です。親族間に問題があっても、子どもの前では、できるだけその話題は避けてほしいのです。もちろん、それは難しいことです。しかし、親族間のいざこざは、いずれ子どもにも分かることです。幼いうちからそのような重荷を背負わせるのは、子どもにとって酷《こく》なことです。

わたしたち親は、子どものために、一族が礼儀正しく節度をもって付き合っている姿を見せる努力をしたいと思います。子どもは、大人たちの姿から、人間関係のあり方を学んでゆくのですから。

子どもから学ぶ

子どもは日々親から学んでいます。それと同じように、実は、親も、日々子どもから学んでいるのです。

家族で出掛けた帰りの夜のことです。七歳と八歳の男の子は、車の中でも元気いっぱいでした。お父さんとお母さんは、後で寝かしつけるのが大変だと思っていました。さて、家に着いて、みんなは車から降りました。と、弟の方が、夜空を見上げて言いました。

「ねえ、ちょっと星を見ていてもいい？」

お父さんとお母さんは、立ち止まり、どうしようかと迷いました。

「なに言ってるの。もう遅いんだから。寝る時間でしょう」

そう言いたいところだったのです。けれど、お父さんとお母さんは、一緒に星を見ることにしました。息子たちの顔は、楽しそうに目を輝かせて星を見上げました。

子どもたちは、星を見たかったのです。「星を見る」というのは、「星を眺める」というのとは違います。大人は、見慣《みな》れた風景の一部として星を「眺める」だけです。けれども、子どもは、驚きに目を見張って、星を「見る」のです。子どもには、大人とはまったく違った世界が見えるのです。そんな子どもから教えられ、子どもの視線で世界を見ることができたら、わたしたち大人も、ずいぶんすばらしい経験をすることができるのではないでしょうか。

とげとげした家庭で育つと、子どもは、乱暴になる

わたしたちは、敵意や憎しみを抱いたとしても、なかなかそれを意識できないものです。新聞の社会面で、子どもを虐待《ぎゃくたい》し、殺してしまった親について書かれた記事を目にすることがあります。けれど、多くの人は、それは自分とは別世界の出来事だと感じるはずです。しかし、わたしたちも、家庭生活の中で、恨みや怒りの感情を鬱屈《うっくつ》させてしまうことがあります。それが親子関係や夫婦関係に影を落としたり、大きなトラブルに発展しないともかぎらないのです。

悲しいことに、現代社会は、敵意と暴力にあふれた社会でもあります。この地球上では、常にどこかで戦争が起こっています。わたしたちの住む社会でも、凶悪な犯罪や、親子や夫

婦間での暴力や殺人が起きています。暴力団の抗争など、恐ろしい出来事が起こることもあります。その一方で、子どもたちは、テレビや映画で、毎日のように暴力的なシーンを目にしています。実際にいやな経験をする子もいるでしょう。家で兄弟にいじめられたり、学校でいじめを受けたり、街で喧嘩を目撃したり、近所の人たちの争いを目にしたり――。お父さんとお母さんが言い争っているのを目の当《ま》たりにすることもあるでしょう。あるいは、お父さん、お母さんが、上司、あるいは近所の人とやり合っているのを耳にしたり目にしたりすることもあるかもしれません。

子どもは、敵意や憎しみのなかで育つと、精神が不安定になります。子どもによっては、不安から逃れるために、乱暴になる子もいます。自分自身が強くなることで、不安に打ち勝とうとするのです。

また、子どもによっては、引っ込みじあんになってしまう場合もあります。いつも不安な気持ちでいるので、他人との対立や葛藤を極度に恐れ、自分の殻にとじ込もってしまうのです。そんな引っ込みじあんな子どもは、学校でいじめの標的になり、乱暴な子の餌食になってしまうこともあります。

もしも親が家庭内で暴力をふるったり、口汚く罵《ののし》り合ったりしていたとしたらどうでしょうか。子どもは、それが当たり前のことだと思うようになってしまいます。人生は戦場だ、目には目を、歯には歯をだと思うようになるのです。こんな闘争的な人間にわが子を育てたいと思う親御さんはいないと思います。

家庭内の対立や葛藤を、わたしたち親は、夫婦間、親子間でどのように解決しているでしょうか。罵り合い、暴力をふるい合ってはいないでしょうか。話し合い、歩み寄って解決していますか。わたしたち親のやり方が子どもに大きく影響し、将来、子どもは親と同じことをするようになるのです。

たしかに、わたしたちは、ささいなことで感情的になり、カッとなってしまうことがよくあります。ストレスがたまり、イライラしていると、ささいなことがしゃくにさわってしまうのです。たとえば、忙しい夕飯時には、特にそうです。家族のみんながお腹を空かせて疲れて帰ってきます。この時刻には、みんながそれぞれのストレスをためているのです。

四歳のフランクは、幼稚園でいやなことがありました。ずっと待っていたのにコンピューターが使えなかったのです。先生は、なんだかひいきしているようなのです。お父さんのお迎えも、その日にかぎって遅れました。仕事が忙しかったのです。

車に乗ると、お父さんはフランクに話しかけました。

「幼稚園はどうだった？」

本当は、お父さんも、疲れていて、口をききたくなかったのですが……。

「べつに」

窓の外に目をやったまま、フランクは、後ろの席からそっけなく答えました。カーラジオからはニュースが流れています。道は渋滞しています。

二人が家に帰りつくと、お母さんはキッチンで夕飯の支度に大忙しでした。カウンターの上の小型テレビからはニュースリポーターの気ぜわしい声が流れています。みんなお腹がぺこぺこです。フランクは、上着を脱ごうとして、カウンターの上に置いたお弁当箱を引っ掛けてしまいました。お弁当箱は床に落ち、あたりはパンくずだらけになってしまいました……。これは、きっとみなさんにもお馴染《なじ》みの場面ではないでしょうか。そして、この後、どうなるかも……。

わたしたちは、忙しくて、細かいことに気を配ってはいられない時がしょっちゅうあります。そういうときには、どうしても、イライラや怒りの感情を上手にコントロールできなくなってしまいます。しかし、そんな時だからこそ、感情をうまくコントロールしたいものです。日常生活で感じるイライラや不満を、日頃から上手に発散させておかないと、積もり積もって屈折した恨みや怒りの感情となってしまいます。そして、何かの拍子に爆発してしまうのです。

幸い、フランクのお母さんは、そういうことにはなりませんでした。お母さんは、フランクに卓上箒と塵取りを渡して言いました。

「いいのよ、フランク、大丈夫よ。ほら、これでゴミを集めて」

そして、オーブンに鶏肉を入れ終わると、脇にしゃがんでこう話しかけました。

「きれいになったわね。じゃ、後はお母さんがやるから、これでいいわよ」

そして、箒を手にすると、フランクが差し出す塵取りに、残りのパンくずを掃き入れました。フランクはお母さんにやさしくしてもらって、うれしそうです。

こんなにうまい具合にはいかないものだと、みなさんは思われるかもしれません。たとえば……。

お弁当箱を落としてしまったフランクは、欲求不満を爆発させてこう叫びます。

「なんだ、こんなお弁当箱！　幼稚園なんて、大嫌いだ！」

お母さんはお母さんで、お父さんに向かってこう怒鳴りちらすかもしれません。

「どうしてフランクを見ててくれなかったの！　こっちは忙しいんだから！」

あるいは、怒りはフランクに向かうかもしれません。

「なにやってるの！　どこ見てんのよ、あんた」

こんなお母さんの態度は、子どもにとって悪い手本になるだけです。

カッとならないための対処法に関しては、わたしたち大人は、むしろ子どもを見習うべきでしょう。子どもは、何かに飽きると、体を動かす遊びをして（たとえば、駆けっこやお絵描きやおママゴトなど）イライラを本能的に発散させています。わたしたち大人も、子どもを見習って、イライラしたら体を動かしてみるといいのです。たとえば、散歩や庭いじりや洗車などはどうでしょうか。時間がないときは、深く息を吸ったり吐いたりして呼吸を整えるだけでも効果があります。深呼吸して十数えるというのは、カッとならないための、祖母たちの知恵です。これで緊張がほぐれ、心が落ちつくのです。イライラしないことは、わたしたち自身のためだけでなく、子どものためにも大切です。

子どもがイライラしているときには、こんな空想ゲームをして、子どもの心をほぐしてあげましょう。たとえば、幼稚園でいやなことがあって帰ってきたフランクに、お母さんは次のように尋《たず》ねました。

「今日、幼稚園で、フランクは、なんの動物だったの？」

フランクは答えて言いました。

「ウーッて唸ってる、ライオン」

次に、お母さんは、家に帰った今はどんな動物になっているかを尋ねました。フランクが、たとえば「子犬ちゃん」と答えたら、それは親に甘えたいというシグナルなのです。ストレスを発散できるように、こんなときは、その子を十分甘えさせてあげましょう。

感情を上手に表現する

子どもも、わたしたち大人と同じように、感情を自由に表現する権利があります。だからといって、人や物に当たり散らしてもいいかといえば、もちろんそんなことはありません。子どもが、人をぶつ、蹴《け》る、突き飛ばす、あるいは人に噛みつくなどしたら、その場で厳しく反省させなくてはなりません。特に、幼い子どもは手が先に出てしまいがちです。ですから、言葉で気持ちを表すことができるように、親がしつけてゆかなくてはならないのです。けれど、子どもが感情を押し殺すようになるのはよくないことです。親は、怒りや欲求不満といった子どものマイナスの感情も、受けとめなくてはなりません。何ごともバランスが大切なのです。

ある日、九歳のテレサと、遊びに来た友だちとが喧嘩を始めました。お母さんは止めに入って言いました。

「そんなふうに、お友だちのことを怒ってもいいの、テレサ？　さあ、二人とも、もう喧嘩はやめなさい」

その日の夜、お母さんは、歯磨きをしていないテレサを怒鳴りつけました。すると、テレサはこう言いました。

「そんなふうにあたしを怒ってもいいの、ママ？」

この一言に、お母さんはカンカンになりました。

しかし、ちょっと冷静になって考えてみれば、テレサの言ったことは理《り》にかなっています。別にお母さんを茶化《ちゃか》したり、馬鹿にしようとして言ったわけではありません。テレサからすれば、お母さんはこう言っているように思えたのです。

「大人は怒ってもいいが、子どもは怒ってはいけない」「人はテレサを怒ってもいいが、テレサは人を怒ってはいけない」

テレサがこう思うのは、当然のことです。親は、子どもに対して、このような矛盾した態度を示すべきではありません。

大人に感情があるように、子どもにも感情があります。子どもが自分の感情をきちんと言葉で表現できるように、親は導いてゆきたいものです。

たとえば、「怒ってるんでしょう」と先回りして言ってしまわずに、「どうしたの？」と尋ね、「どうしたらいいかな？」と、子どもに考えさせるようにしてほしいのです。そうすれば、子どもは自分が今どんな気持ちなのかがわかります。そして、どうすればいいのかも考えられるようになるのです。

子どもに正直になる

不満やイライラや怒りといったマイナスの感情を、わたしたち親は日頃どんなふうに表に出しているのでしょうか。子どもの前で、むやみに感情的になるのはもちろんよいことではありません。が、だからといって、感情を押し殺すのもよくありません。子どもというものは、親が隠そうとしても、親の気持ちを感じとるものです。ですから、子どもの前では気持ちに嘘をつかないことが一番いいのです。

ある土曜日の朝、サムのお母さんは家の掃除にてんてこまいでした。この一週間、仕事が忙しくて大変だったのです。床の上のクッションをソファに投げつけているお母さんを見て、九歳のサムは言いました。

「お母さん、ぼくのこと怒ってるの？」

お母さんは、はっとして答えました。

「ううん、怒ってなんかいないわよ」

それを聞いて、サムは遊びに出ました。でも、お母さんはどうしたんだろうと気にかかったままです。お母さんは、サムの問いに対して、正直に「そうよ、怒ってるのよ。リビングにおもちゃを持ってきたら、自分の部屋に戻しなさい。大変なんだから。さあ、手伝って」

と言うべきだったのです。お母さんが本当のことを言っていれば、サムは、やはりお母さんは怒っていたのだと納得できたでしょう。そして、お手伝いもできたはずです。

また、親は、夫婦喧嘩に関しても、子どもにオープンであるべきだとわたしは思います。七歳のカーラは、ある時、夜中に目が醒《さ》め、両親の言い争う声を聞いてしまいました。すっかり怯《おび》えてしまい、カーラは布団にもぐりこみました。そして、また眠ってしまったのですが――。お父さんは、自分たちの言い争う声がカーラの耳に入っていることに気がついていました。

それで、翌朝、カーラにこう説明しました。

「ママとパパはお金のことでお話をしてたんだけど、喧嘩になっちゃったんだよ。起こして悪かったね」

大事なのは、子どもの不安をとりのぞくことなのです。お父さんとお母さんは本当に喧嘩をしていた。けれども、不安になる必要はない。そのことを、カーラに納得させることが大切なのです。お父さんは、続けて言いました。

「お金の使い方で、考えが合わなかったんだけど、こうしようって決めて、ちゃんと仲直りできたんだよ。またなにかあったら、二人でよく話すことにしたんだよ」

こんなふうにお父さんに説明してもらえば、カーラは安心できます。人は時には喧嘩をすることがある。けれども、それで相手を嫌いになるわけではないのだ。それが子どもなりに理解できれば、子どもは安心できるのです。また、家族の間では、よく話し合って解決すべき問題があるのだということもカーラはここで理解したのです。夫婦喧嘩をしたと正直に伝えたほうが、かえって子どものためになります。子どもは、共同生活での歩み寄りと話し合いの大切さを学ぶでしょう。これは、子どもが大人になったとき、結婚生活の知恵として生きるはずです。

完璧な手本になる必要はない

人に対する怒りや敵意の感情は、黒雲のようにわたしたちの心をおおったかと思うと、またすっと消えてゆくものです。だからといって、感情は天気みたいなもので、自分ではどうしようもないのだと責任のがれすることはできません。自分がどんな時にどんなふうに癇《かん》癪《しゃく》を起こしているか、これはよく考えてみれば分かることです。感情をうまくコントロールできれば、人に喧嘩を売るような事態は避けられるでしょう。一度喧嘩を始めてしまえば、感情はエスカレートしてしまうばかりです。そんな事態はできることなら避けたいものです。

皮肉なことに、わたしたちは、好きな人に対して、よけいに腹が立ちます。だからこそ、感情的にならないように、日頃から注意する必要があります。怒り狂ってしまったら、自分でも手がつけられなくなってしまうからです。そうはならないように常に気をつけたいものです。

わたしたち親は、子どもにとっての完璧な手本になる必要はないのです。感情的になってしまったら、それを認め、子どもに謝ることができれば、それでよいのです。子どもは、そんな親の姿から大切なことを学ぶに違いありません。お父さんとお母さんも、感情的にならないように常に努力しているのだということを。

たとえば、怒りの感情は心の敵なのではなく、うまく処理すべきエネルギーなのだということもできます。それを子どもに分からせることが大切です。怒りのエネルギーは上手に使うとよいのです。これは、わたしたち自身にとってだけではなく、家族全員のためにも大切なことです。わたしたち親の日頃の態度を見習って、子どもは育ってゆき、それが孫の世代まで受け継がれていくのですから。

不安な気持ちで育てると、子どもも不安になる

子どもは、怖いことが大好きです。怖い話、怖い映画にわくわくドキドキ胸をときめかせます。お化けごっこも大好きです。

わたし自身思い出すのは、小学生のころのことです。毎週金曜の晩に、近所の家に集まって、部屋の明かりを消し、ラジオの怖い話を聴いたものでした。それは「魔女の物語」という番組で、題名からしてレトロですが、当時は本当に恐ろしいものでした。なんといっても一番怖かったのは（そして、一番楽しかったのは）、番組が終わって、みんなで家へ帰るときでした。暗い夜道を平気なふりをして歩いてゆくのです。暗がりから何が飛び出してくるかと思うと、死ぬほど怖かったものです。もちろんそれがこの上なく楽しかったのは言うま

でもありません。でも、こんなふうに恐怖を楽しめたのは、明るい灯の点《とも》ったわが家に帰りつけるという安心感があったからこそなのです。

本物の恐怖は、これとはまったく違います。親から受ける暴力、虐待《ぎゃくたい》や無関心、生死にかかわる病《やまい》、あるいは身近な人から受けるいじめなど、子どもにとっては実に恐ろしい体験です。くる日もくる日もそんな恐怖を感じていたら、子どもはおどおどし、いつも不安な気持ちでいることになります。安心できる環境が整っていなければ、子どもの健全な成長は望めません。このような子どもは、人ともうまくつきあえなくなり、何事においても消極的になってしまいます。

子どもは何を怖がるか

どうしてそんなことが怖いのかと、大人は子どもの気持ちを理解できないことがあります。大人にとっては何でもないことが、たとえば隣の犬や楓《かえで》の枯れ枝など、子どもには死ぬほど怖いことがあります。また、なんでもない大人の一言に驚いてしまうこともあるでしょう。ある三歳の女の子が、お母さんにこう尋ねたそうです。

「ほんとに、ママは、骨が折れちゃったの？　キャシー叔母さんにそう言ったでしょう」

子どもは、言葉を文字どおりに受け取ってしまうことがあるものです。この女の子は、

「骨が折れる」の本当の意味を教えてもらって、やっと安心しました。

子どもが怖いと言ったときには、親はばかばかしいと思わずに、真剣に耳を傾けたいものです。怖いと思っている子ども本人にとって、恐怖は現実そのものなのです。わたしたち大人は、子どもの目で物事を見るように心がけたいと思います。「なに言ってるの」「なんでもないわよ」「弱虫だね」「もう大きいんだろう」などと適当にあしらってはいけません。そんなことを言われたら、子どもは、ますます怯えてしまいます。

わたしは、子育て教室で、親御さんからこんな質問をよく受けます。

「親の関心を引きたくて、怖いと言っているだけなのではないでしょうか」

そんなことはありません。こういう親御さんたちは、子どもの言うことを聞き入れすぎると、その結果子どもを甘やかすことになるのではないかと心配しておられるのでしょう。けれども、そのような心配は無用です。たとえ、親に甘えたくて怖いふりをしているとしても、その「甘えたい」という欲求は満たされなくてはならないのです。このような欲求は、子どもが食べ物や住む場所を必要としているのと同じように、基本的な欲求なのです。実際、子どもが親に甘えたい時というのは、何かに怯えているときである場合が多いのです。

三歳のアダムがそうでした。家族は新しい家に引っ越したばかりで、アダムは幼稚園に入園したばかりでした。妹も生まれました。お父さんとお母さんにとっては、すばらしい新生活のスタートです。でも、アダムにとっては、馴《な》れ親しんだかつての生活が終わってしまっただけのことだったのです。新しい生活は不安でいっぱいです。

お母さんが留守のある晩、アダムはいつもに似ず、お父さんにこんなことを言いました。

「ぼく、怖い。パパ、なんとかして」

そして、泣きだしました。

「なんとかしてって……。どうしたの？　もうお兄ちゃんなんだから、そんなこと言っちゃだめだよ」。お父さんは、こう言って、アダムを早く寝るように部屋へ行かせることもできました。

けれども、お父さんは、そうはしなかったのです。お父さんは、アダムにこう言いました。

「どうしたの？　大丈夫だよ。今日は、お父さんといっしょに寝ようね。そうすれば怖くないだろう」

お父さんの言葉とスキンシップで、アダムは気持ちが落ちつき、不安も和らぎました。

親は子どもにとって魔法のように頼もしい存在です。六歳と八歳の兄弟は、屋根裏にお化けが出るんじゃないかと怖くなることがよくありました。お母さんは、そんな時のためにクローゼットの中に古い箒《ほうき》をしまっておきました。二人が「お化けだ、お化けだ！」と叫びながら部屋に飛び込んできた時には、お母さんは箒を取り出し、それを振り回しながら、声を張り上げて家中を走り回ります。二人の男の子も、お母さんの後をついて一緒に走り、お化け退治に大はしゃぎです。

親の離婚

もちろん、こんな魔法が効《き》かない時もあります。箒のお呪《まじな》いも、やさしいスキンシップも、その効力を失ってしまうような家庭内の大事件が起こることがあります。そのような事件が起きて、今までの生活様式ががらりと変わってしまったとしたら、それは子どもには、とても堪《た》え難《がた》いことです。子どもの成長には安定した日常生活が不可欠です。そんな日常生活が崩れてしまう出来事が起こると、子どもは、世界が崩壊したように感じてしまうのです。

親に死に別れるという悲劇は別としても、両親の離婚は、子どもにとって最も辛い事件となります。子どもというものは、いつも心のどこかで、もし両親が離婚したらどうしようと思っています。親が配偶者の悪口を言うのを聞くと、子どもは不安になります。親が離婚したら自分は捨てられるのではないかと思うからです。子どもにとっては、親が家を出ていくということは、自分が見捨てられるということを意味しているのです。

両親の離婚調停中には、子どもはきわめて不安定な精神状態になります。この時期、親は、どんなに余裕がなかろうとも、何よりも子どものことを優先すべきです。子どもは、両親の離婚に心が引き裂かれる思いをしています。ですから、争いにはできるだけ早く終止符を打ってほしいのです。確かに、双方が対立し憎み合っている状況では、子どものことを優先させるのは、簡単なことではないでしょう。しかし、この時期の子どもには特に親の心づかいが必要なのです。離婚をしても親が親であることにはかわりはない、これから先も両親二人で面倒をみてゆくということを、子どもにきちんと伝えなくてはなりません。

子どもは、その意味をはっきりとは理解できなくても、家庭内に何か事件が起これば、それを察します。

お父さんが失業するかもしれないという話を耳にした六歳のリンは、怯えてしまいました。お父さんはリンに説明しました。

「心配しなくてもいいんだよ。しばらくは節約しなくちゃいけないけどね。でも、大丈夫だよ」

リンは安心して、自分にもできることをしようと思いました。

「新しいスニーカーはいらない。まだ古いのがはけるから」

リンは言いました。

心配のしすぎは子どもに悪影響を与える

親の心配性は気づかぬうちに子どもにも伝染します。「どうしよう」「困ったな」などという言葉をわたしたちはよく口にしますが、このような言葉は、子どもの心をとても暗くします。だめだ、だめだと思っていると、本当にだめになってしまうものなのです。

不幸なことに、最近の親御さんたちは、昔では考えられないほど心配の種《たね》をかかえています。子どもをいたずらに不安がらせることなく、いかに危険から守ってゆくかは、親御さんにとって頭の痛い問題です。たとえば、外で知らない人に声をかけられたら十分気をつけなさいと親なら子どもに教えたいところです。けれど、だからといって、知らない人がみんな悪い人だとは教えたくはありません。また、できれば親の目の届くところで遊んでいてほしいと思います。とはいっても、親にべったりの子になってもらいたいとは思いません。わたしたち親は、子どもの自主性を伸ばし、なおかつ危険にさらされることがないように気をくばらなくてはならないのです。

しかし、これは頭の痛い問題です。子どもにどれだけ自由を許すかは、子どもの年齢に合わせて考えなくてはなりません。お母さんは、四歳のアリソンに、公園に行きたいといわれました。公園には知らない人もいるので、お母さんはこう答えました。

「お母さんと一緒に行きましょうね。見ていてあげるわ」

お父さんとお母さんは、十歳のケンに学校まで一人で歩いて行きたいと言われました。二人は、ケンを街中に一人で出すのは心配でした。けれども、一人で行きたいという自立心の芽は伸ばしてやりたいとも思い、悩みました。

親というものは、わが子のことを自分のこと以上に心配するものです。けれど、それもいきすぎると、子どもに悪影響を及ぼします。

キャルのお父さんは野球狂です。そんなお父さんに、お母さんもリトル・リーグの監督も少々閉口していました。お父さんは、どんなにキャルのことで気をもんでいるか、わたしにこう語りました。

「ぼくは、キャルぐらいのとき、あまり野球がうまくなくて、レギュラーになれなかったんです。本当にみじめでした。キャルには、絶対、あんな思いはさせたくないんです」

しかし、キャルにはキャルのやりかたがあります。お父さんの過剰な思い入れは、キャルにとっては重荷になっているかもしれません。お父さんは、息子のやりたいようにさせたほうがいいのです。子どもは、親とは違います。子どもには子どもの人生があります。親の心配がマイナスになることもあります。それを忘れないでほしいのです。

子どもの話に耳を傾ける

わたしたち親は、子どもの生活をすべて把握《はあく》しているわけではありません。子どもを悩ませる出来事が毎日のように起こっていたとしても、親はまったく知らないという場合さえあります。学校でのいじめはもちろんのこと、家庭内での兄弟同士の争いも、親はときには見過ごしてしまうことがあります。わが子がいじめを受けたり、脅《おど》されたり、からかわれたりしていても、親はまったく気づかないこともあるのです。幼い子どもの場合は、特にその傾向が強いようです。幼い子どもは、ただ怯えてしまって、親に訴えられないことがありますし、誰にも言わずに一人で我慢してしまう子もいるからです。親は、時間を割《さ》いて、子どもの人間関係についてよく話を聞くように心がけたいものです。

お母さんは、五歳の息子のアンドリューに、さり気なく話しかけました。

「今日は、幼稚園でどんなことがあったの？」（「幼稚園どうだった？」と聞くよりも、このほうが、子どもは具体的に話しやすくなります）。

「ジョーに、トラックを取られちゃったんだ。ぼくが遊んでたのに」

「そう。それで、どうしたの？」

アンドリューはうつむき、口ごもりました。

「べつに」

お母さんには、トラックを横取りされたのだということが分かりました。それで、こう尋ねてみることにしました。

「そう。いやだったでしょう。アンドリューは、どうすればよかったのかな？」

お母さんは、こう質問して、アンドリュー自身に考えさせたいと思ったのです。

アンドリューは、考えました。そして、トラックを取り返す、先生に言う、ほかのおもちゃで遊ぶ、ほかの友だちのところへ行く、などと答えました。

「そういう時は、こうしなさい」とお母さんが教える必要は少しもありません。子どもの言うことを親がよく聞けば、子どもは自分で考えるからです。

「アンドリューは、本当はどうだったら一番よかったの？」。こんなふうに尋ねてみるのもよいでしょう。

アンドリューは、「トラックで遊びたかった」と答えるかもしれません。子どもは、自分がやりたいことがはっきりすれば、今後どうすればよいかもわかるものです。

「明日、幼稚園に行ったら、ぼくが一番にトラックを取って、ジョーが取ろうとしたら、ダメだって言ってやる」

子どもにとって、新しい体験は不安なものです。入園・入学、初めての歯医者、初めて飛行機に乗る経験――どれも、子どもにとっては大変なことです。親は、そんなときには、いつもよりやさしく接し、子どもを励ましましょう。「あなたならできる」と、子どもに自信を持たせるのです。「あなたなら大丈夫よ。できるわよ」と言ってやれば、子どもは緊張がほぐれ、表情も変わってきます。

幼い子どもには、たとえば入園する幼稚園の下見に連れて行くなど、工夫が必要です。教室のなかを見て回った後、お母さんは娘に聞いてみました。

「このお教室で、なにがいちばんやりたい？」

「金魚にエサをあげたい」

サンディはすぐに答えました。もう、すっかりここの園児になった気分です。

大人からすれば何でもないことであっても、子どもにとっては刺激が強すぎることが日常生活のなかにはたくさんあります。テレビも、子どもの不安をかきたてます。テレビの画面には、ニュース、映画、コマーシャル、ドラマなど、日々暴力的な場面が流れています。特に、幼い子どもは、現実とフィクションの区別がつかないものです。親はいつも心を配っていなくてはなりません。テレビの画面に映しだされる事故や暴力や殺人シーンにショックを受け、心に傷を負う子もいます。暴力的な番組からいかに子どもを守ればよいのか――それは、その子に応じて、親が考えなくてはならない問題です。

親だって怖いときがある

わたしたちは、子どものために、強い親でありたいと願っています。子どもがいつでも頼れる存在でありたいと思うものです。けれども、ときには、わたしたち親も『オズの魔法使い』に出てくる臆病者のライオンのような気持ちになることがあります。そういう時には、虚勢《きょせい》を張らないようにするのが一番なのです。人間なら誰でも、不安な気持ちになることがあるものです。大切なのは、その不安をどう表現するかです。親の正直な姿を見れば、子どもは、人間というものは不完全なものなのだ、時には人の支えや励ましが必要なのだということを学ぶようになるのです。子どもの小さな手で、大丈夫だよと肩をたたいてもらうと、わたしたち親自身、本当に慰《なぐさ》められるものです。

八歳のフォーブは、お母さんは今日病院へ行かなければならず、それで気が沈んでいるのだということを察していました。もちろん、大人ではないフォーブには、お母さんの病気がどれほど深刻なのかは、よくわかりません。でも、朝、学校へ行く前に、いつものようにフォーブを抱き寄せたお母さんを、ぎゅっと抱きしめ返したのはフォーブの方でした。お母さんはびっくりして言いました。

「ありがとう、フォーブ。心配してくれて」

子どもは、不安にどう打ち勝ったらよいのかを、親の姿から学びます。わたしたち親が、どんなふうに配偶者や友だちや親族に支えを求めているか、また、どんなふうに人を支えているか。その姿から、学ぶのです。不安な気持ちとどのように向き合い、どのような解決策を見出していくのか。子どもは、親の姿を手本とし、少しずつ学んでゆくのです。

「かわいそうな子だ」と言って育てると、子どもは、みじめな気持ちになる

わたしたちは、時には、自分はなんてかわいそうなんだろうとみじめな気持ちになることがあります。そして、自分をかわいそうだと思えば思うほど、ますますみじめな気持ちになり、泥沼にはまり込んでしまうのです。

こんな気持ちでいたのでは、何事もうまくはゆかないものです。子どもに対しても同じことが言えます。子どものことを何かにつけて「かわいそうだ」と言ったり、親自身が自分のことをみじめに思っていたとしたら、どうなるでしょうか。子どももその通りだと思ってしまうようになります。自分はかわいそうな子なんだ、親もみじめな人なのだと思ってしまうのです。これでは、子どもにやる気がおこるはずがありません。努力の大切さを教えること

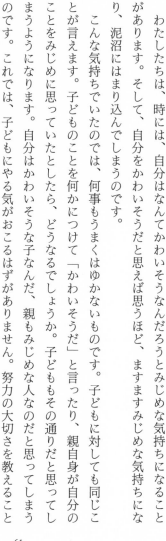

もできないでしょう。子どもは何事にも消極的になり、自分は何をしてもだめなんだと思い込むようになってしまいます。

では、やる気のある子、努力を惜しまない子に育てるにはどうしたらいいのでしょうか。それには、まず、親自身が手本になることです。手本といっても、完璧な手本になる必要はありません。何があってもいっさい弱音を吐かないような強靭《きょうじん》な精神の持ち主になる必要はないのです。逆境に陥ったとき、挫けずに立ち向かうことができれば十分なのです。

それから、子どもを信じることが大切です。辛いことがあってもこの子なら乗り越えられると、子どもを信じてください。

みじめな気持ちになってしまったら

わたしたちは誰でも、みじめな気持ちになって弱音を吐いてしまうことがあるものです。仕事で疲れている時、誰も自分を認めてはくれないと感じる時などは特にそうです。誰にでも、どうして自分だけがこんな目に遭わなくてはならないのかと思うときがあるものです。しかし、いつまでもこんな暗い気持ちでいると、うつ状態になってしまいます。ものごとをすべて悪く解釈し、ますますみじめになるという悪循環に陥ってしまうのです。

こんな悪循環に陥らないためにはどうすればよいのでしょうか。もうそれ以上いやなことを考えないように気持ちを切り替えることです。たとえば、自転車に乗って汗をかく、外を速足で歩くなど、何か他のことを始めるのです。

どこか素敵なところを旅している自分の姿を思い浮かべるなどのイメージ療法を試してみるのもいいかもしれません。わたしの子育て教室に来ていたケイトというお母さんは、こんな話をしてくれました。

「わたしは、とても落ち込んでいました。まるで自分は古雑巾《ぞうきん》みたいだと思いました。利用されているだけで、誰もわたしのありがたみを感じてはくれないと思っていたのです。三人の子どもは本当に手がかかり、夫は仕事ばかりでろくに口もきいてくれませんでした。わたしはいつもイライラして憂鬱《ゆううつ》でした。そんな自分が我ながらいやでした。それで、この子育て教室でやったように、イメージ療法を試してみることにしたのです。目をつぶると、最初に浮かんできたのは、わたしは誉められたいのだ、という思いでした。それで、大きなホールで満場の人々から拍手喝采《かっさい》を受けている自分の姿をイメージしました。実際に、自分で拍手して、子どもの頃に歌った唄を思い出して『二、四、六、八、偉い人はだれ？』『それは、ケイト！』と言ってみました。台所の壁に向かって叫んだのです。『もっと夫にかまってほしかったし、子どもにもありがたみを感じてほしかった……』。少しは気にかけてもらいたかったのです。それで、わたしは、みんなの好物のデザートを焼いて、サイドボードの上に置き、こんなメッセージを書きました。『お母さんは、すごい。賛成の人は、お母さんを抱きしめてください』。すると、家族のみんなが、『どうしたの？』と寄ってきました。子どもたちは、わたしを抱きしめてくれました。夫は、子どもたちを伯母に預けて、二人きりで週末を過ごす計画を立ててくれました。ちょっとした思いつきで、わたしは、ずいぶん明るい気持ちになることができたのです」

家族に対する不満を、このお母さんはこんな風に伝えたのです。これなら、子どもにとってもよい手本になります。また、このお母さんは、夫婦二人きりで過ごす時間を作ることができました。夫婦関係をリフレッシュする時間を作るのは大切なことです。夫婦仲が良いことは、子どもにとっても良いことなのですから。

「お母さんがあなたぐらいの時には……」

自分の子ども時代に比べて、わが子はなんて恵まれているのだろうと、わたしたちはつい小言を言いたくなることがあります。しかし、それはあまりよいことではありません。

十一歳のジュディスには、お母さんの小言がいつ始まるかが分かります。お母さんは、まず、自分がジュディスぐらいの時にどんな生活を送っていたかという話から始めるのです。そして、ジュディスがどんなに恵まれているか、いかに親のありがたみが分かっていないかということをくどくどと言い始めます。お母さんの小言は、いつも車のなかで始まるので、ジュディスには逃げ場がありません。お母さんは、いつも決まって、こんなふうに切り出します。

「今の子は、本当に贅沢だわ。百ドルもするスニーカーを履《は》いて、それで当たり前だと思ってるんだから」

ジュディスは、また始まったとうんざりします。けれど、ただ「ふうん」と言っておきます。

「お母さんがあなたぐらいの時には、週に三日も、それに土曜日もベビーシッターのアルバイトをしてたのよ。友だちと遊びほうけている暇なんかなかったんだから」

ジュディスは、ため息をついて、こう言い返したくなります。

「ママ、あたし、友だちと遊びほうけてなんかいないわ」

そして、一拍おいてから、こうつけ加えます。

「ママの時代とは、違うのよ」

こんなふうにして、この娘と母親は、どちらのほうが苦労しているかの競争を始めることになります。

お母さんは、そんな競争をするつもりではなかったはずです。ただ、娘に、今の生活のありがたみを知ってほしかっただけに違いありません。けれど、このお母さんの言葉の裏には、「なに不自由のない娘の生活が妬ましい」という思いがありました。「少しは親に感謝しろ」という押しつけがましさがあったのです。ですから、ジュディスは、「また始まった」とうんざりしてしまったのです。

親に感謝するようにと子どもに言うこと自体は、悪いことではありません。このお母さんは、娘の送り迎えの車の中で、はっきりこう言えばよかったのです。

「毎日車で送り迎えしてるお母さんに感謝してね」

お母さんは、自分の子ども時代の話をして、もってまわった言い方をする必要はなかったのです。もちろん、子どもが思ったように親に感謝するとはかぎらないでしょう。しかし、自分の気持ちをはっきり子どもに伝えるほうが、変に愚痴《ぐち》をこぼすよりもずっといいのは言うまでもありません。

子どもは、どんな時に親の同情を引こうとするのか

子どもは、親にかまってもらいたくて、同情を引こうとすることがあります。

「お腹が痛い」

四歳のトレーシーは言いました。朝、保育園へ行く間際になってこんなことを言い出した

のです。

「行きたくない」。トレーシーは、お腹を押さえました。

こんな時、親は迷います。この子は本当にお腹が痛いのか、家で寝かせておくべきなのか、医者に連れていったほうがいいのか――。もしかしたら、保育園へ行きたくないから嘘をついているのかもしれない。それとも、親に甘えたいのだろうか？　家で一日のんびりさせてやるべきなのだろうか……。

親は、どれか一つ答えを出さなくてはなりません。そんな時、いちばん大切なことは、親の同情を引けばわがままをとおせるのだと子どもに思わせないように注意することです。

もし、学校に行きたくないために仮病を使っているようならば、次のように尋ねてみるといいでしょう。

「学校に行ったら、どうなっちゃうと思うの？」

「家でどうしていたいの？」

「本当はどうだったら一番よかったの？」

「どうすれば、そういうふうにできると思う？」

子どもが仮病をつかっていた場合、こんな親の問いかけに答えてゆくうちに、子どもは、自分が本当はどうしたいのかが自覚できるようになります。親も、子どもとの対話をとおして、子どもの状態をつかむことができます。子どもは、親にかまってほしくて仮病を使うこともあります。そんなときには、最近、子どもにどう接していたかを思い返してみてください。もし、忙しくて余裕がなかったのなら、子どもとの時間を増やすように心がけてほしいのです。

また、子どもは、「自分にはできない」と言って、親の同情を引こうとすることもあります。「自分にはできない」という言葉は、究極の言い訳になります。「そんなことを要求されても困る。自分にはできないのだから」と子どもは言っているわけです。けれど、本当のところは、子どもはできないのではなく、やる気がないから、あるいはやりたくないから、こういうことを言う場合があるのです。

この手にのってしまったら、「自分にはできない。自分には能力がない」という子どもの言い分を、親は受け入れたことになってしまいます。こんな後ろ向きの姿勢を、子どもに取ってほしくはありませんね。子どもを励まし、なんとかやる気をおこさせたいものです。子どもがコンプレックスを感じているのだとしたら、子どもの話をよく聞き、どうしたら前向きになれるかを子どもと一緒に考えることです。

八歳のベンは、算数の宿題にうんざりしていました。ベンはべそをかいて言いました。

「できない。こんな難しい問題、ぼくにはできないよ」

ベンのお父さんは、そんな息子の気持ちが分かりました。けれど、泣き言は聞かずに、こう励ましたのです。

「一年生の時も算数ができなくて、大変だったよね。でも、先生に聞きに行ったり、お父さんといっしょに勉強したりして、それで、できるようになったじゃないか。だから、今だって、できるよ。さあ、もう一度やってみよう」

子どもがしょげている時には、親もついかわいそうに思ってしまうものです。しかし、親も子どもと一緒にしょげていたら、子どもはますますやる気を失ってしまいます。もし、ベンのお父さんが、「そうか、この問題は難しいからな。もういいから、寝なさい」と言っていたらどうだったでしょう。ベンはあきらめてしまったに違いありません。自分は算数ができないのだというコンプレックスをそのまま引きずることになってしまったことでしょう。

大事なのは、子どもが「もう一度やってみよう」と思えるように、チャンスを与えることです。親の自分が苦手なことは、子どもも苦手なんだと思い込まないように気をつけてください。もし、ベンのお父さんが算数が苦手だった場合には、ベンにもつい甘くなっていたことでしょう。しかし、それでは、子どものためにはなりません。親の役目は、子どもを励まし、導きながら、埋もれている能力を引き出すことなのです。

子どもが何かをできずに困っているとき、親はどこまで子どもに手を貸したらよいのでしょうか。それはなかなか微妙な問題です。手助けしすぎて、かえってよくないこともあります。子どもに自力でやらせて、自信をつけさせるべき時もあるのです。また、場合によっては、親の助けが必要な時もあるでしょう。その時その時の子どもの状態を、親はよく見極めたいものです。一番いいのは、最初にアドバイスを与え、手助けをしておいて、後は子どもに任せることです。子どもが自力でやり遂げられるように見守ることが大事なのです。

いつ、どんなふうに、どれだけ手を貸したらいいのか、親はそれを判断しなくてはなりません。親の助けがどれだけ必要かは、子どもの年齢とともに変わります。三歳の子に必要な助けも、五歳の子には邪魔になるでしょう。子どもを励まし、必要な時にだけ手を差し伸べることが大切です。子どもは自分で苦労してこそ新しいことを身につけてゆくのだ、ということを忘れないでください。

逆境に立ち向かう力

ここで、同情ということについて考えてみましょう。わたしたちは、かわいそうな人に同情します。しかし、どんなに相手に同情したとしても、それでその人のためになるか、その人の役に立つかといったら、それはどうでしょうか。なぜなら、同情とは、相手と距離をおく感情だからです。わたしたちは、かわいそうな人に同情することによって、自分はそんな目に遭わなくてよかったと心のどこかで優越感に浸っているのです。

一方、共感はどうでしょうか。共感とは、相手に近づこうとする感情です。共感するとは、相手の苦しみや悲しみをわが身のこととして感じることです。共感とは、思いやりの感情であり、相手のために何ができるかを考える心の動きです。

悲劇に見舞われた人が、勇気をもって逆境に立ち向かう姿は、わたしたちの胸を打ちます。人間は、土壇場で驚くべき力を発揮します。たとえば、体の不自由な子どもは、逆に、強く生きていくことのすばらしさを親に教えてくれます。不治《ふじ》の病にかかった子どもは、勇敢に病と戦います。時には挫《くじ》けそうになっても、へこたれることはないのです。

十歳のスーは、末期癌《がん》でした。病院の小児癌病棟から学校に通っています。長かったブロンドの髪はすべて抜け落ちてしまいました。けれども、スーは、部屋に閉じこもって泣き暮らしたりはしませんでした。家族に助けられながら、十歳の女の子が送る普通の生活を、できるかぎり続けたのです。頭にスカーフを巻いて学校へ通い続けました。宿題をこなし、友だちと遊びました。

寝たきりになる前には、クラス全員の友だちを招いて、パーティーを開きました。それは、すばらしい一日になりました。

パーティーで、クラスの子どもたちは、スーを追いかけ回して鬼ごっこに夢中になりました。もしクラスの子どもたちが、スーに同情していたらどうだったでしょう。スーはこんなふうに楽しく鬼ごっこをして遊ぶことはできなかったに違いありません。子どもたちがスーと一緒に鬼ごっこをしたのは、スーの病気のことを知らなかったからではありませんでした。スーのことを考えていなかったわけでもなかったのです。子どもたちは先生と話し合って、スーのために何ができるかを考えたのです。スーが不治の病であり、余命《よめい》いくばくもないのだということも、子どもたちは理解していました。だからこそ、鬼ごっこにスーを入れたのです。単にスーに同情していただけだったら、激しい遊びからスーを外していたことでしょう。

同情するのではなく、一緒に考える

ある日、十歳のジャニスは、お母さんの脇へ倒れこむようにして居間のソファーに座りました。

「あたしだけ、メリッサのパーティーに呼ばれなかったの」

お母さんは、がっかりしている娘の気持ちが分かりました。それで、肩を抱きながらこう尋ねました。

「呼ばれなかったのは、本当にジャニスだけ？」

ジャニスは小さな声で答えました。

「他にもいたけど……」

お母さんは尋ねました。

「かわりに何をしたい？」

「家で落ち込んでる」

ジャニスはそんなふうに答えました。半分は本気、半分はお母さんの反応を見ながら。そんなジャニスに、お母さんは、なだめるようなことは何も言いませんでした。

ジャニスは言いました。

「ねえ、お母さん。呼ばれなかったお友だちを家に呼んで、お泊り会をしてもいい？」

お母さんは答えました。

「それは、いいわね。みんなで、クッキーを焼いたらどう？　きっと楽しいわよ」

子どもががっかりしているときには、親は子どもを導き、よい方向に向けるように手助けしてほしいと思います。子どもの気持ちを聞き、適切なアドバイスを与えながら、子どもが自分で解決策を見つけだせるようにするのです。

いやなことや悲しいことがあったとき、いつまでも自己憐憫《れんびん》にひたっていてもしかたがありません。どうしたら前向きになれるか、そんな力を持つことができるように親は子どもを導いてゆきたいものです。「あなたならできる」と子どもを信じれば、子どももそう信じることができます。子どもを信じ、励《はげ》ますことは、子どもに同情することよりも、ずっと大切なことなのです。

子どもを馬鹿にすると、引っ込みじあんな子になる

人間には、人を馬鹿にして面白がるという残酷な一面があります。

「ただの冗談だよ。冗談もわかんないの？」。こう言われてしまえば、馬鹿にされた人は、それ以上返す言葉がありません。何を言っても無意味です。言い返せば、ますます馬鹿にされてしまうからです。かといって、黙ってしまえば、プライドは傷ついたままです。

特に、幼い子どもは、馬鹿にされると、どうしていいかわからなくなってしまいます。そのまま我慢するべきなのか、それとも相手を避けるべきなのか、判断できないのです。これは、ブレーキを踏んだままアクセルを吹かすような、にっちもさっちもいかない状態です。子どもはジレンマに陥ります。そして、おどおどし、なるべく目立たないように影に隠れる

ようになってしまうのです。

子どものなかには、人から馬鹿にされて引っ込みじあんな性格になってしまう子もいます。そんな子の場合は、もともとおとなしい性格の子とは違うのです。おとなしい子というのは、人と親しくなるのに時間のかかる子です。それは、その子の性格の一部なのです。一方、人に馬鹿にされるのが怖くておとなしくしている子の場合は、これとは違います。このような子どもの場合は、わたしたち親が話を聞き、手を差し伸べなくてはなりません。

いじめから子どもを守る

人を馬鹿にするとき、わたしたちは笑います。これは、人をおとしめて、あざ笑っているのです。人を馬鹿にするとは、人をあざ笑うことだとも言えるでしょう。笑いは、人の心を和ませ、仲間意識を強めるものですが、人をあざ笑うというのは違います。その人にいやな思いをさせて笑いを引き起こすからです。子どもにとっては、その区別はなかなかつきにくいものです。漫画や漫才で、人の失敗を笑う習慣がついているからなのかもしれません。壁にぶつかったボケ役を見て、わたしたちは笑います。親は子どもに、ギャグの世界と現実とは違うのだということを教えなくてはなりません。現実に人が転んだり怪我をしたりしたら、笑う前に助けてあげなくてはいけないのだと言ってきかせたいものです。その区別がつかないと、人が困っているときに笑ったり、友だちと一緒にはやしたてたりする子になってしまいます。

十歳のスコットは、あまり運動神経がよくありませんでした。ある日、近所の子どもたちと野球をしていて、スコットにバッターの番が回ってきた時のことです。敵チームの子どもたちは、一見応援するかのように、スコットをはやし始めました。

「スコット！　スコット！　スコット！」

声はどんどん大きくなります。

初め、スコットは、応援されているのだと嬉しく思いました。でも、一回二回と空振りをして、ますますはやし声が大きくなったとき、自分は馬鹿にされているのだと気づきました。スコットは、一瞬頭の中がまっ白になり、怒りがこみあげてきました。スコットは、もう一度空振りをし、三振になりました。はやし声は、守備につこうとするスコットを執拗に追いかけてきます。もうスコットの顔はまっ赤です。くやしくて泣きそうです。ここで抜けてしまうか、黙って試合を続けるべきか、スコットはどうしたらいいのか分かりません。

馬鹿にされている子は、最初はそのことに気づかないものです。みんなの笑いや野次《やじ》が何を意味するのか、すぐには分からないのです。スコットもそうでした。みんなが楽しそうに笑っていれば、だれでも一緒に笑いたくなるものです。しかし、みんなは自分をあざ笑っていたのだと気づいた瞬間、本人は恥ずかしさでいっぱいになります。そして、どうしていいかわからなくなってしまうのです。

もし、これからも、しょっちゅうこんな目に遭ったとしたら、スコットは、近所の子どもたちと遊ばなくなるでしょう。馬鹿にされたらどうしようと思っただけで、子どもは、怖気《おじけ》づきます。そんな子どもは、何事に対しても引っ込みじあんになってしまうのです。そうなってしまえば、後は悪循環です。ほかの子は、その子のおどおどした態度につけこんで、ますます馬鹿にするようになります。その子は、いじめの格好の餌食にされてしまうのです。こんな役回りを背負わされるのは、本当に辛いものです。しかし、仲間外れにされるよりはましだと思って、子どもは耐えてしまうのです。

いじめにあっていることを、子どもはなかなか親に言えないものです。恥ずかしくて話せないのです。親に言っても無駄だと思う子もいるかもしれませんね。たしかに、親が介入して、かえっていじめがエスカレートする場合もあります。しかし、子どもを励まし、守ることはできるはずです。いじめに負けずにほかの友だちを探すようにと、親は子どもに言ってきかせなくてはなりません。

自分の子がいじめる側になっている場合もあるでしょう。まさかわが子がそんなことをと、親はショックを受けるに違いありません。けれど、「そんなことしちゃダメだよ」「いじめは悪いことだよ」とだけ言っても、効き目はないでしょう。子どもは、親に隠れていじめを続けるに違いありません。こういう子には、人に対する思いやりの気持ちを一から学ばせなくてはならないのです。

「もしあなたが同じことをされたら、どんな気持ちがすると思う？」

「そんなことを言われた人が、どんな顔をしたか、憶《おぼ》えているかい？　その人がどんな気持ちだったか、考えてみたことがあるかい？」

こんなふうに、子どもに問い質《ただ》すべきなのです。

子どもに思いやりを教える一番の方法は、親が子どもを思いやることです。子ども自身が人から思いやりを受ける経験をしていれば、人の気持ちに敏感になり、人にやさしくなるものなのです。

いじめに対して親ができること

いじめを直接やめさせることはできなくても、親としてできることはたくさんあります。子どもの様子にいつもと違ったところはないか、日頃から気を配ってください。急に元気がなくなったり、無口になったり、精神が不安定になったりしてはいないでしょうか。

もし、子どもが、いじめに遭っていると打ち明けたら、まず真剣に話を聞くことです。

「たいしたことじゃないよ」「気にしなければいいのよ」「別に相手は本気で言ってるわけじゃないだろう」などといって軽く受け流すようなことは絶対にしてはいけません。傷ついた気持ちを正直に話せるように、子どもの話をじっくり聞くことが第一なのです。まだ幼稚園か小学校に通っている幼い子どもなら、学校の先生に相談し、協力してもらうことも必要です。これは、いじめている子を叱ってもらうためや、わが子を守ってもらうためではありません。教師と親との協力体制を組むためなのです。

小学四年生のクレアは、クラスの女の子たちにいじめられ、仲間外れにされています。担任の先生は、クレアの様子が変だと気づきました。クレアのお母さんからも電話がありました。クレアは、毎晩布団の中で泣いていて、朝学校へ行きたくないと言うのです。先生と両親は相談し、どうしたらいいかを考えました。

その結果、こんなふうに協力体制を組みました。学校で、いじめグループがクレアに近づいてきたら、先生が、さり気なくクレアを他の子どもたちの方へ連れていくようにします。家庭では、両親がクレアと、本当の友だちとはどういうものなのかをよく話し合うことにしました。新しい友だちを作るにはどうしたらいいのかを親と子で考えることにしたのです。こんなふうに両親と先生とに支えられて、クレアはいじめを乗り越えることができました。そして、友だちになれる子たちだけと付き合えるようになったのです。

子どもから教えられる時もある

わたしたち親自身が、時には、気づかぬうちに、いじめを行なっていることがあります。わたしたちは道ゆく人のことや、ちょっとした知り合いの人のことをけなしたりすることがあります。また、悪意のあるジョークでそこにいない人のことを傷つけて、その場を盛り上げたりすることもあります。わたしたちは、知らない人のこと、あるいはその場にいない人のことを言っているので、自分がひどいことをしているという自覚がありません。しかし、それを聞いている子どもは、どう思うでしょうか。子どもはそんなわたしたちの姿から、人のことを悪く言ってもかまわないのだと学んでしまうのです。

あるお母さんが、わたしにこんな話をしてくれました。

「近所のショッピングセンターに、ときどき、道端に立って、通りかかる車に手を振っている若い女の人がいましてね。その女の人は、いつも、歩きながら笑ったり歌をうたったりしているんです。ある時、わたしがスーパーから出ると、その人が立っていました。すると、わたしの前を歩いていたお母さんが、七つぐらいの娘さんに『ほら、頭の変な女の人よ』と言いました。娘さんは『お母さん、どうしてそんなこと言うの』と怖い声で答えました。『頭が変だなんて、そんなひどいこと、お母さんが言われたらどうするの？』

わたしは、ちょっとおどけた声で『ルンルンの人って、わたしは呼んでますよ』と言いました。女の子はニコッとしました。そのお母さんも、ばつが悪そうに笑って『ほんと、ルンルンの人ね』」

ときには、親の方が子どもに教えられることがあるものなのです。

家庭内のいじめ

わたしたち親自身が、子どもを馬鹿にしたり、からかったりしてしまうこともあります。親御さんによっては、それでわが子が鍛えられると思っているのかもしれません。しかし、言うまでもなく、本当の強さは、人から馬鹿にされたりからかわれたりして育つものではありません。保身《ほしん》に回るというよくない処世が身についてしまうだけです。これは、本当の強さではありません。

ピートのお父さんは、若いころはサッカーの花形選手でした。十二歳になる息子のピートは、今、地域のサッカーチームでトーナメントを目指して猛練習中です。お父さんは、ピートはもっと積極的に攻めるべきだと不満に思っています。それで、練習中のピートに、がんがん野次を飛ばします。けれど、それはピートにとっては、みんなの前で恥をかかされているだけのことだったのです。

「なにやってんだ！　ボケッとつっ立ってんじゃない。どこ見てんだよ。ボールを追え、ボールを！」

サイドラインからお父さんは野次りました。ピートは頷《うなず》き、歯を食いしばって走りだします。でも、頭にきて、もう集中できません。

お父さんはよかれと思ってしていることでしょう。息子のプライドを傷つけるひどい野次を飛ばしているなんて思ってもいないはずです。あるいは、自分が昔言われたことを言っているだけなのかもしれません。けれども、これは、ピートのためにもお父さんのためにもなりませんでした。

兄弟の間では、けなす言葉はもっとエスカレートすることがあります。明からさまにからかったり、あげ足を取ったりするのです。兄弟は、互いの弱点を知り尽くしているので、いくらでもけなす材料はそろっているというわけなのです。

ジルは、弟が、引っ越してきた近所の男の子と仲良くなりたがっているのを知っていました。二人ともスケートボードを持っていて、歳もだいたい同じだったのです。それで、ジルは、二人がスケートボードで遊んでいると、自転車で通りがかりざまにこう叫びました。

「やーい、ねしょんべん小僧。昨日もねしょんべんしただろう」

これは、無邪気《むじゃき》なからかいではなく、弟を傷つける残酷《ざんこく》ないじめです。日頃、兄弟からこんないじめを受けていると、子どもは、友だちともうまく付き合えなくなってしまうことでしょう。親は、兄弟の間で何が起こっているのかを、いつも注意して見ていなくてはなりません。親は、いじめている子を戒め、兄弟みんなが安心して暮らせるように気を配らなくてはならないのです。

家庭が安らぎの場になっているか

どんな子どもも、いじめやからかいの対象になる可能性はあります。親がいつも守ってはやれません。けれど、家庭がくつろぎの場であり、心からほっとできる場所であれば、子どもはそれだけで救われます。そして、親自身が、人の弱さや欠点を受け入れられる心の広い人であれば、家庭は、子どもが心から安らげる暖かい場所になることでしょう。たとえ失敗しても許してもらえるのだという安心感があれば、子どもの心は明るくなります。わたしたち大人も失敗だらけで、時には自分で自分を笑うこともあるでしょう。人を笑うのではなく、自分で自分の失敗を笑い飛ばせる家族、そしてそれを許せる家族。そんな家族であれば、子どもは本当の強さを身につけてゆくはずです。

親が他人を羨《うらや》んでばかりいると、子どもも人を羨むようになる

嫉妬は、英語では「緑色の目をする」と比喩的に表現されます。まさに、そのとおりだと言えるでしょう。嫉妬《しっと》は、わたしたちがどんな目で他人や物事を見るかによって生まれる感情です。嫉妬深い目には、隣の芝生は青く見え、他人の車は上等に、家は立派に見えます。本当は、自分の庭の芝生は青く、車も家も申し分ないとしてもです。

世の中には、確かに、自分より恵まれている人は大勢います。しかし、自分より恵まれない人も大勢いるのです。この事実のどちらに目を向けるか、それは、わたしたち次第です。もし、親がいつも自分と他人とを引き比べて不満に思い、他人を羨《うらや》んでばかりいたらどうでしょうか。子どもも、そんな親の影響を受けてしまいます。わたしたちは、子どものために

も、緑色の目の怪物にならないように心がけるべきなのです。子どもが、己の幸福を幸福とし、他人を妬《ねた》んだり嫉《そね》んだりすることがないように、親は教えなくてはなりません。

隣の芝生は青く見える

そもそも、他人と自分とを比べること自体は避けられないことです。実際、自他を比較することなく生きるのは不可能です。自他の違いを認識してこそ、物事を見る目が養われるのです。子どもも、自他の違いに気づくことから、批判能力を育ててゆきます。問題なのは、違いを認めた後、わたしたちがどう思うかなのです。人を羨み、嫉妬してしまうか、そうはならないか、ということなのです。

ある日、庭で子どもたちは遊び、お母さんは土をいじっていました。そこへお父さんが運転するぴかぴかの新車がバックで入ってきました。お母さんはこの色がいいと思っていましたし、子どもたちも大喜びです。新車を買うのは初めてで、本当にすごいことです。お父さんは嬉しくてしかたがありません。

みんな喜んで車の手入れをしました。夏の間、子どもたちは洗車を手伝いました。車に乗るときには、座席を汚さないように靴を脱ぎ、車の中では物を食べないようにしました。

その年の秋、近所の人が、もっとかっこいい新型モデルを買いました。それもお父さんの車よりも安い値段で手に入れたのです。それを知ったお父さんは、顔を曇《くも》らせて言いました。

「うちも、あの車にすればよかった。あと二、三ヵ月待っていれば、あれが買えたのに」

お母さんは、慰めて言いました。

「いいじゃないの。みんな、うちの車が気に入ってるんだから」

でも、お父さんは、機嫌を直しませんでした。そして、お母さんには車のことは分からないと言いました。子どもたちは、事情がよく飲み込めませんでしたが、お父さんがもうあまり車を大切にしなくなったのは分かりました。近所の人の新車が車庫から出てくるのを見かけると、お父さんはいつも羨ましそうな顔でじっと見ています。そんなお父さんの気持ちが伝染し、いつの間にか、子どもたちも、うちの車に興味を失い、どうでもいいと思うようになってしまいました。座席でお菓子を食べて粉を散らかしても、もう平気です。車は薄汚れ、本当につまらない車になってしまいました。

お父さんは、自分がいやな気持ちになっただけでなく、家族全員の気持ちも白《しら》けさせてしまったのです。そして、お父さんの態度から、娘たちが学んでしまったことはこういうことでした。価値のある物とは、人に見せびらかすことができる物なのだ——。これは、できれば子どもたちには教えたくない価値観です。

自分と他人とを比べても、相手の良さやすばらしさを素直に認めることもできるはずです。お父さんも、近所の人の好運を妬まず、その車をいい車だと素直に認めることができればよかったのです。

親御さんのなかには、他人の子どもに嫉妬する人もいます。子どもを自分自身の一部だと思い、子どもの出来不出来が親の価値を決めると思っているからなのでしょうか。いつも他の子どものことが気になり、競争心を燃やしてしまうのです。誰がいちばん駆け足が速いか、誰がチームの花形か、誰がいちばん勉強ができるか、誰がいちばん可愛《かわい》いか、誰がいちばん人気があるか、誰がアイビーリーグに行くか……。

ある若いお母さんが、わたしにこんな話をしてくれました。

「わたしの子どもがまだ絵本もろくに読めないときに、他の子どもが難しい児童本をすらすら読んでいたんです。とても妬ましく思いました。わが子がこんなふうになってくれればと思ったのはもちろんです。でも、それだけじゃなく、その子が難しい字に躓《つまず》いて、読めなくなってしまえばいいと思ったのです。無邪気な四歳の子どもに対して。その時、自分はなんていやな人間なんだろうと、ぞっとしました」

世の中には、常に、わが子より優秀な子、駆け足の速い子、勉強のできる子、器量のいい子がいるものです。いちいち嫉妬していたらきりがありません。それに、こんなことは考え方一つでどうにでもなると思います。わが子にはこれができない、あれができないと欠点ばかりを見ているから、他の子に嫉妬してしまうのです。そんなつまらないことをしていないで、わが子の長所を見るようにすればよいのです。そうすれば、他の子と比較したとしても、すべてはその子の個性なのだと思えるようになるはずです。また、子どもの成功や失敗は、その子自身のものであり、親のものではないのだと肝に銘《めい》じることも大切です。子どもの成功や失敗に一喜一憂するのが親というものです。しかし、子どもには子どもの人生があります。自分の叶えられなかった夢を子どもに託して、過剰な思い入れをしないように、いつも気をつけていたいものです。

兄弟姉妹の競争

自分がいちばん親に誉《ほ》められたいと思うのは、兄弟の間でもよく見られる普通の感情です。だからといって、親がいつも兄弟を比べたり、一人だけ可愛がったりしていたらどうでしょうか。兄弟の間で競争が起こり、大人になってからの兄弟仲にも影を落とすことになってしまうでしょう。これは、不幸なことです。

お母さんは、七歳のシャロンに、「きれいな字を書けるように、もっと練習しなくちゃね」と言いました。「お姉ちゃんは、字がきれいでしょ。シャロンもあんな字が書けるといいわね」。

シャロンはお姉さんを見ました。お姉さんは、ダイニングテーブルの向かい側で、黙って宿題をやっています。学校の先生も、友だちも、そしてお母さんまで、みんなお姉さんのほうが好きなのです。こんなことになるなんて、シャロンが悪いのか、それともお姉さんの方が悪いのでしょうか――。シャロンは、どうしていいのかわからなくなってしまいました。

「もう、いやだ。こんな鉛筆じゃ書けない。字を書くのなんか、大嫌い！」

シャロンはそう叫ぶと、泣きながら二階へ駆け上がってしまいました。

我が子が親の言葉にこんなふうに過剰反応したときには、親は、自分の言ったことを反省する必要があります。シャロンのお母さんは、どうしてあんなことぐらいで泣きだすのかとあっけにとられました。けれど、このお母さんも、よく考えてみれば、シャロンが泣きだした理由が分かるはずです。姉妹を比べて、妹に酷なことを言ったのだということが理解できるはずです。お母さんは、シャロンの気持ちを考えて、シャロンに謝らなくてはなりません。子どもは、人を許す天才です。親が自分の非を認めた時には特にそうです。このお母さんは、これからはシャロンをお姉さんと比べたりしてはなりません。シャロンの個性を認め、シャロンはシャロンなのだという気持ちで接することが何よりも大切なのです。

実際、親がどんなに気をつけていても、兄弟間の競争はなくならないものです。たとえば、その格好の例として、ケーキを切り分ける時のことを考えてみましょう。五歳の双子のリンダとグレイは、ナイフを持ったお母さんの手を虎視眈々《こしたん》と見つめています。ケーキをきっかり同じ大きさに切るのは不可能です。どうしても、どちらかのほうがちょっと大きくなったり、クリームが多くなったりしてしまいます。こんな、ケーキをめぐる争いは微笑ましいものです。でも、実は、こんなささいな事が積もり積もって「どうせ自分は親に愛されていない……」と、悲しむ子もいることを忘れないでほしいのです。切り分けられたケーキは、親の愛情の象徴なのです。同じ大きさに切ってほしいと言うことで、子どもは、同じだけ愛してほしいと言っているのです。たかがこんなことで……と思わずに、できるだけ子どもの要求を聞き入れ、人を平等に扱うよい手本を示してほしいのです。

人と同じにしたがる年ごろ

「スーザンは髪を染めてるのに、どうしてわたしはいけないの？」

「だって、ミッキーだってあのスニーカー履《は》いてるよ」

「みんなピアスしてるもん。わたしもしたい」

子どもはいくつになっても、他の子どもと同じものを欲しがるものです。それは、服や車だったり、カーリーヘアやストレートヘアだったりするかもしれません。その子と同じ物が手に入れば、その子と同じようになれると思うからなのでしょうか。

「あんな服を着れば、サマンサみたいに人気者になれる」

「新しいユニフォームがあれば、ジェイソンみたいにバスケットがうまくなれる」

何かが上手ならば、あるいは、何かを持っていれば幸せになれる。そんなふうに子どもは思うのかもしれません。誰かみたいに人気者になったり、スポーツマンになれると錯覚《さっかく》しているのかもしれません。けれど、何かがうまいから、何かを持っているからといって幸せになれるわけではありません。わたしたち大人は苦い経験からそれがよく分かっています。

家族よりも友だちにウエートがおかれる年齢になると、子どもは、なんとかして友だちと同じようになろうとします。この時期はまた、子どもが自我《じが》に目覚めるころでもあります。世の中での自分の居場所を探し始める時期です。子どもは、友だちと同じになり、グループの一員になることによって安心したいと思うのです。親は、その子の個性が失われてゆくようでがっかりするかもしれません。しかし、子どもは、なんとかして友だちと同じになろうとします。親は、そんな子どもに、友だちと同じである必要はないと言ってやりましょう。人がそれぞれ違うことは大切なことなのだということを、子どもにぜひ教えてあげてください。友だちの真似《まね》をせず、自分に自信を持つべきなのです。自分をしっかり持っていれば、子どもは、友だちのことはそんなに気にはならなくなるものです。

もちろん、友だちの影響を受けてはいけないということではありません。尊敬する友だちを持ち、あやかりたいという気持ちになることとは、友だちを真似ることとはまったく違います。そんな友だちがいれば、子どもは目標を与えられ、やる気が出ます。良きライバルを得れば、子どもは成長します。相手を尊敬し認めているので、たとえ自分は目標を達することができなかったとしても、相手を妬んだりせず、広い心で結果を受けとめることができるようになります。

キャリーは、本当は自分が陸上部のキャプテンになりたかったのでした。でも、こう素直に言ったのです。

「カルメンがキャプテンになったの。あたしじゃなくて。でも、カルメンならいいキャプテンになれると思う。みんな頑張ってるし、きっと今年は優勝できるわ」

子どもが思春期を迎え、自我に目覚めたときに、子どもを支えるのが親の役目です。この時期、子どもは様々な問題に直面し、自分は何者なのかと悩むようになります。親の役目は、そんな子どもが自分の特性に気づき、それを伸ばすことができるように導くことです。

そのために一番よいのは、日常生活のちょっとした合間に、子どもの話を聞くことです。車に乗っているときや寝る前のひととき、一緒に料理をしている時や庭いじりをしている時など、いつでもよいのです。かえって、こんな何気《なにげ》ないひとときのほうが、子どもも本音を言いやすいのです。大切なことは、先回りしたり、親の考えを押しつけたりしないことです。子どもの話をじっくり聞くことのほうがずっと大事です。芽ばえ始めた子どもの自立心を挫《くじ》いてしまわないように、親は、あくまでも子どもの気持ちや考えを尊重すべきなのです。

自分を受け入れることが、子どもを受け入れること

親の務めは、その子の個性を認め、長所を伸ばすことです。その子の欠点ばかりに目を向けていたら、お互いに何もよいことはありません。子どもは、親が思っているような子どもになろうとするのです。なぜなら、子どもというものは、親の評価を受け入れて、自分はそういう子なのだと思い、そのような自己像を形成してゆくからです。

その子が何を望み、どんな悩みを抱えているのか、学校生活や日常生活で何を感じ何を考えているのか、わたしたち大人は、子どもの話に真剣に耳を傾けなければなりません。そうすれば、子どもは自分が大切にされている、認められ愛されていると実感できます。自分は親に丸ごと受け入れられていると感じることができるのです。

また、親自身が自分の欠点も長所もすべてそのまま素直に受け入れている人であれば、子どもはそんな親の姿から様々なことを学ぶことができます。自分の不完全さを受け入れ、己の幸福を幸福とする親の姿が、子どもにとっては何よりの手本になるのです。

叱りつけてばかりいると、子どもは「自分は悪い子なんだ」と思ってしまう

子育てをしてゆくうえで、子どもに善悪の判断を教えることは、とても大切なことです。善悪の判断を学ぶことは、わたしたち人間にとって、一生とまではいかなくても、長い時間のかかることだからです。

人のおもちゃを横取りしてはいけない、お菓子を買ったらお金を払わなくてはいけない、カンニングは悪いことだ……子どもへの躾《しつけ》は、最初はそんなことから始まります。そして、子どもが成長するにしたがって、もっと複雑な道徳的問題にも触れることになります。……嘘をついてもいいのか、友だちの不正を見つけたらどうしたらいいのか。そんな問題を、子どもに考えさせてゆくことになるのです。何が正しくて、何が間違っているかを判断する力

は、人が一生かけて培《つちか》ってゆくものです。子どもは、親とともに、その長い道のりの最初の一歩を踏みだすのです。

では、どうやって、子どもに正邪《せいじゃ》の基準を教えたらいいのでしょうか。親の姿を見習って、よい子に育ってほしいと親は願うものです。しかし、子どもが実際に悪いことをしてしまった時には、どう対処すればいいのでしょうか。たとえば誰かを傷つけたり、わざとものを壊したりした時にはどうしたらいいのでしょうか。

まず、「そんなことになると分かっていたら、許さなかった」と、子どもにきっぱり言うべきなのです。そして、なぜそんなことになってしまったのかを考えさせ、自分の行為を恥じさせ、反省させなくてはなりません。ときには、同じ失敗を繰り返さないように罰《ばつ》を与えることも必要でしょう。

けれど、子どもが必要以上に自分のことを恥じないように、また無益《むえき》なコンプレックスを抱《いだ》かないように注意する必要があります。子どもを責め、厳しく叱りすぎると、子どもは自信を失い、自分をだめな人間だと思うようになってしまいます。あまりにも厳しく子どもに接するのはよくないことです。厳しい罰を与えるよりも、子どもを支え、励ましたほうが、子どもはよく学ぶものなのです。

ほとんどの場合、子どもは、自分では意識せずに悪いことをしてしまうものです。たとえば、ほかの子から思わずおもちゃを取り上げてしまったり、台所を散らかしてしまったり、無断で人の物を使ったり……。こんな時は、親は、なぜそれが良くないことなのか、どうやって責任を取ったらよいのかを教えなくてはなりません。

厳しく叱るよりも、子どもを励ますほうがいい

子どもが何か悪いことをしたとき——物を盗んだり、嘘をついたり、人をだましたりした時——ふつう、わたしたち親は、まず怒り、そして、子どもを悪いと決めつけてしまいがちです。しかし、その前に、子どもの側の話も聞いてほしいのです。子どもは、自分が悪いことをしたとは知らなかったのかもしれないからです。それを悪いことだと教えるのが親の役目なのです。まず、どうしてそんなことになってしまったのか、子どもの話をよく聞きましょう。そして、その後で、どうすべきであったのか、それを教えるのです。子どもを悪いと決めつけ、頭ごなしに叱るのは決してよいことではありません。

ある日、お母さんはおかしなことに気づきました。手提《さ》げの中に入れておいた財布の口が開いていて、中の小銭が全部消えているのです。家には、お母さんと七歳のメリッサだけでした。お母さんは、メリッサの部屋へ行き、事実だけを聞こうと思いました。

「お財布の中の小銭が全部なくなってるんだけど」

人形遊びをしていたメリッサは、顔を上げました。お母さんは続けました。

「お財布の口が開いていたんだけど。普段は、こんなことないのに。メリッサ、知ってる?」

メリッサは口を開きました。

「アイスクリーム屋さんの車が来て、アイスを買いたかったんだけど、お母さんは電話してて、それで、自分でお金を出したの。お財布の口は開けっぱなしにしちゃったみたい。ごめんなさい」

お母さんは、思わずほほ笑みを誘われましたが、表情は変えませんでした。メリッサが謝ったのはよいことです。でも、謝ることが間違っています。お母さんはメリッサの脇に腰を下ろし、やさしい声で、しかし、きっぱりと言いました。

「お財布はお母さんのものよ。お母さんは、メリッサのお財布から黙ってお金を取ったりしないわ。メリッサも、お母さんのお財布から黙ってお金を取ったら、それはいけないことなのよ」

もし、メリッサがお金を取ったのが初めてのことだったら、お小遣いの中からお金を返させるようにすればいいでしょう。もし、これで二度目だったら、たとえば、大好きなテレビ番組を見せないことにするのもいいかもしれません(もし、これがメリッサの盗癖だったとしたら、お母さんはカウンセラーに相談するなどして、根本的な解決策を考えなくてはならないでしょう)。

お母さんは、「メリッサを責めているわけではない。でも、無断でお金を取ることは悪いことなのだ」ということをメリッサに教えようとしたのです。これなら、メリッサは、自分のしたことを反省はしても、自分が悪い子なのだとは思わずにすみます。

次にお母さんは、このような質問をして、メリッサにどうしたらいいかを考えさせました。

「メリッサの話は分かったわ。アイスのお金が欲しかったけど、お母さんは忙しそうだったのよね。でも、黙ってお金を取ったのは、いけないことだったわね。どうすればよかったと思う?」

メリッサは考えました。

「お母さんのこと待ってればよかったのかもしれないけど、でも、それじゃアイスクリーム屋さんは行っちゃったわ」

そして、また少し考えて言いました。

「子豚の貯金箱から、お金を出せばよかったんだ」

「そうね」。お母さんは頷《うなず》きました。

「メモを書いて、電話してるお母さんに見せればよかった」

「それでもよかったわね」

「アイスは買わないことにすればよかった？」

メリッサは、小さな声で聞きました。

「そんなことはないわ」。お母さんは、笑いながらメリッサを抱きよせました。

「でも、今度からは、お金が欲しいときには、お母さんにちゃんとお話ししてね」

お母さんは、こうして、どうすればよかったのかをメリッサに自分で考えさせました。このほうが、子どもを責めて必要以上に罪悪感を植えつけるよりも、ずっと効果的なのは言うまでもありません。子どもは、自分で考え出したことにはやる気をみせるものですから。

子どもを傷つける言葉

ジュリーの部屋は、いつも、ものすごく散らかっていました。お母さんは、もう我慢の限界でした。十一歳の女の子には十分こたえる口調でこう言いました。

「よく平気でいられるわね！　まるで豚小屋じゃない。ほんとに、だらしがないんだから」

ジュリーはしょげかえって部屋へ行きました。そして、「あーあ」とため息をついてから、部屋を片づけ始めました。

ジュリーは、言われたとおりに部屋を片づけたのに、なんだかすっきりしませんでした。まだ何か悪いことをしているような気分です。

悪い子だと親に責められると、子どもは傷つきます。たとえ親の言いつけを聞いたとしても、それはいやいや聞いたのです。これでは、子どもが本当に良くなったとはいえません。

このお母さんは、ジュリーに「だらしがない」と言うべきではありませんでした。「部屋を片づけなさい」とだけ、はっきり言えばよかったのです。そうすれば、ジュリーを傷つけることはなかったはずです。「こんなに散らかして。もう限界よ」とだけ言っていればよかったのです。そうすれば、問題なのは部屋が散らかっていることであり、ジュリー自身ではないのだということが伝わったはずなのですから。

子どもにも感情がある

わたしたち大人は、自分が子どもだった時のことを、もうあまり覚えてはいません。だから、わが子が泣いたり叫んだりすると、どうしてこんなにうるさいんだと、つい思ってしまいます。しかし、子どもはまだ、どうやって自分の気持ちを表現したらいいのかが分からないのです。それに、子どもは、大人のようにはうまく感情をコントロールすることができません。ですから親は、子どもの感情を抑えつけることがないように注意しなくてはならないのです。

五歳のドニーは、利発《りはつ》で活発な男の子でした。でも、雷《かみなり》と稲妻《いなずま》だけは大嫌いでした。あいにく、ドニーの住んでいる地方には、すごい嵐がやって来ます。ドニーは怖くてしかたがありませんでした。

「怖いよ。もう、雷がそこまで来てるよ。雷が落ちて死んじゃうよ」

ある晩、ドニーはしくしく泣き始めました。しまいには大きな声で泣きじゃくり、布団にもぐり込みました。

ドニーのお父さんは、なんて意気地《いくじ》なしなんだろうと、息子がはがゆくてしかたがありません。けれども、最初は、ドニーをなぐさめてこう言いました。

「大丈夫だよ。雷なんか落ちないよ」

ドニーはそれでも泣きやみません。お父さんの声はだんだん大きくなり、いらいらを隠せなくなりました。こうなると悪循環です。ドニーはますます怯え、お父さんはますます苛立《いらだ》つのです。とうとうお父さんが爆発しました。

「こんな意気地なしがどこにいる！　しょうがない奴だ」

お父さんは、こんなふうに怒鳴ることで、ドニーを追い詰めただけではありませんでした。何かを恐れるのは悪いことだということも教えてしまったのです。

お父さんは、怖がるドニーの気持ちを分かってあげるべきでした。ドニーを膝に抱き、たとえばこんなふうに語りかけて、ドニーが恐怖心を追い払うことができるようにすればよかったのです。

「そうら、雷オヤジと稲妻オババに、何か言ってやれ」

これならドニーは、

「雷なんか、あっちへ行け！」と叫んで、元気をとり戻したことでしょう。

親が子どもの気持ちを受け入れ、子どもを支えれば、子どもは、素直で明るい子に育ちます。反対に、子どもを責め、否定すれば、自信のない暗い子になってしまいます。大人からすれば、たとえ理不尽《りふじん》に見えたとしても、子どもにも、自分なりに気持ちを表現し、分かってもらう権利があるのです。

子どもも成長するにしたがって、相手の気持ちや立場を考えて、自分を表現できるようになります。しかし、それまでは、親は、子どもが素直に気持ちを表現できるように導かなくてはなりません。子どもを叱りつけて、気持ちを押し殺させるのはよくないことです。感情を素直に表現するのはとても大切なことなのです。気持ちを押し殺していては、上手な感情のコントロールもできません。子どもは親に、恐怖や不安といった負《ふ》の感情も受け止めてほしいのです。親が子どもの気持ちを受けとめれば、子どもはその感情を乗り越え、精神的にもたくましく成長することができるのです。

責任感を育てる

自分のしたことがどんな結果になるかを、子どもは、実際の経験や遊びをとおして学んでゆきます。たとえば、幼い子どもは、床にわざとスプーンを投げ落とします。そして、お母さんが拾ってくれればまた落とします。その子は、自分のしたことに親がどう反応するかを見て楽しみながら、原因と結果のゲームをやっているのです。親がスプーンを拾うのをやめるまで、このゲームは続きます。

子どもは成長するにしたがって、自分の行為が周囲の人々にどんな結果をもたらすかに対して、より敏感になります。こうして、子どもは、自分のしたことには責任を取らなくてはならないのだということを学び始めるのです。そんなとき、子どもが、あまりにも自分を責めたり、失敗を恐れて引っ込みじあんになったりしないように、親は気をつけたいものです。子どもは、本来、素直に自分の過《あやま》ちを認めるものです。子どもは、親の喜ぶ顔を見るのが大好きなのですから。

ある日、六歳のビリーは、冷蔵庫からオレンジジュースを取り出しました。ところが、手が滑ってパックが落ち、床はジュースの海になってしまいました。ベビー椅子に座っていた一歳半の妹は、それを見て、キャッキャと手をたたいて大喜びです。でも、もう六歳のお兄ちゃんになったビリーは、妹と一緒に喜んでいるわけにはゆきません。キッチンタオルを切って、オレンジの海にぴたぴた浸し始めました。ジュースを拭《ふ》き取ろうとしていたのです。しかし、キッチンタオル一枚では、どうしようもありません。これを見つけたお母さんは、一瞬、ビリーは悪戯《いたずら》をして遊んでいるのだと誤解してしまいました。

ビリーはお母さんを見上げました。手と膝は、ジュースだらけです。

「ごめんなさい。ジュースこぼしちゃった」

お母さんは、カッとならないように、深呼吸しました。どうやらビリーは悪戯をして遊んでいるのではなかったようです。ビリーは、自分一人で懸命に失敗の後始末をしようとしていたのです。

「まあ、お母さんも手伝うわ。ビリーはよくやったけど、キッチンタオルよりも雑巾《ぞうきん》とバケツがいるわね」

子どもの努力を認め、誉めることは、とても大切なことです。子どもは努力を認められ、誉められることによって責任感を育ててゆくからです。ビリーは、悪いことをしたと自覚して、お母さんに謝り、こぼれたジュースを拭き取ろうと自分なりに頑張りました。もちろん、ビリーのやり方ではだめでした。しかし、その努力は買ってあげなくてはなりません。ビリーのお母さんは、そうしました。こんなお母さんのおかげで、ビリーは、失敗を認めて謝ること、責任を取って許してもらうことの大切さを学ぶことができました。ビリーは、お母さんに手伝ってもらいながら、気持ちよく後片づけをしました。

子どもの努力を認め、誉めることはとても大事です。そうすれば、子どもは、失敗したあと、きちんと対処することは決していやなことではないのだということを学ぶことができます。努力を認めてもらえば、子どもはそれを覚え、失敗への対処の仕方もだんだん良くなってゆくのです。

「ごめんなさい」という言葉

「ごめんなさい」という言葉は、謝罪の気持ちを表す特効薬だと言えるでしょう。

ドッジボールの最中、十二歳のアンドリューは、夢中になりすぎて、強いボールをクラスの女の子に投げつけてしまいました。そのボールは女の子に当たり、女の子は倒れてしまいました。駆け寄ったアンドリューは、女の子にこう謝《あやま》りました。

「大丈夫？　ほんとにごめんね。わざとじゃないんだ。いっしょに保健室に行こう」

アンドリューは自分のしたことの責任を感じました。ですから、女の子を助け起こして、保健室へ連れて行ったのです。

けれども、なかには、何をしても謝れば済《す》むと思っている子どももいます。自分のしたことを反省したり、悪いと思ったりはしないのです。こういう子どもは、同じことをすぐまた繰り返します。また謝れば、相手はすぐに許してくれると思っているからです。ある九歳の男の子は、こんなズルい手を考えつきました。「ごめんなさい」と書いたカードを何枚も作って持ち歩き、何かのたびに、そのカードを差し出すのです。

だれかを傷つけたり、怒らせたりしてしまったときには、相手の身になり、自分のしたことを反省することが大切です。そのことをぜひ、子どもに教えてほしいのです。それが分かっている子なら、心から謝罪し、償《つぐな》おうと努力するでしょう。人間は、本当に済まないことをしたと思えば、二度と同じ過ちを繰り返すまいと心に誓います。そして、心から相手に謝ることができるのです。

わが子を思いやりのある子に育てるためには、まず、親自身が、子どもを思いやらねばなりません。子どもの話をよく聞き、子どもの気持ちを分かろうと親が日頃から努めていれば、子どもは、そんな親の姿から学ぶのです。

四歳のサムは、お兄ちゃんのケーシーが作ったブロックの塔《とう》に三輪車ごと突っ込んで、塔を壊してしまいました。さあ、大変です。お父さんは、どうしてこんなことをしたのか、サムに尋《たず》ねました。

サムは、お兄ちゃんが遊んでくれないので腹が立って塔を壊したのだと答えました。

「塔を壊されて、お兄ちゃんは、どんな気がしたと思う？」。お父さんは尋ねました。

「ひどいと思った」。サムは、答えました。

お父さんは言いました。「お兄ちゃんと遊んでほしかったのなら、どうしてそんなことをしたんだい、そんなことをしてお兄ちゃんは遊んでくれると思うかい」。そして、どうすればお兄ちゃんは一緒に遊んでくれたのかを、サムに考えさせました。また、お兄ちゃんに、どう償いをすべきかも考えさせました。サムは、お兄ちゃんに謝り、塔を直すのを手伝うと言い出しました。さすがにまだ怒っていたお兄ちゃんは、塔は一人で直すと言い張りました。でも、弟の気持ちは分かったようでした。

人の気持ちを思いやることの大切さ

子どもは、親に支えられ、教えられて、人の世の掟《おきて》を学んでゆきます。しかし、あまりにも子どもを厳しく叱りつけると、子どもはおどおどし、罪悪感を持つようになってしまいます。これでは、かえって逆効果です。子どもは、萎縮し、やる気を失ってしまうからです。子どもを厳しく叱りつけるのは、よいことではありません。それよりも、子どもに、なぜこんなことになってしまったのか、自分の行動を振り返らせるように導くほうが、ずっと子どものためになるのです。

子どもの話に耳を傾け、子どもの立場や意図を理解するように、親は常に心がけたいものです。そうすれば、子どもは自分の行動に自らすすんで責任を取ろうとします。そして自分の失敗を素直に認めるのです。そんな時、親は、カッとして感情的にならないことが大切なのです。

そうは言っても、幼い子どもは自分中心に生きています。親は忍耐が必要です。けれど、そんな幼い子どもも成長するにしたがって、正邪の判断がつくようになり、責任感を身につけてゆきます。心配はいりません。子どもの心に、相手への思いやりの気持ちが育ってゆけば、自分の過ちを心から謝罪することができるようになります。子どもは、素直に償いをしようと思えるようになるでしょう。このような学びの体験を重ねることこそが、子どもの成長には大切なのです。厳しく叱りつけられて、おどおどし、罪悪感に苛《さいな》まれていては、前に進むことはできないのです。

励ましてあげれば、子どもは、自信を持つようになる

「励ます」という言葉の英語での元々の意味は「心を与える」というものです。子どもを励ますとは、子どもにわたしたちの心を与えることなのです。子どもが生活面でも精神面でも独り立ちできるようになるまで、子どもを助け、支えるのがわたしたち親の役目です。けれども、どこまで子どもに手を貸し、どこまで子どもの自主性にまかせるか。また、どんな時に誉め、どんな時に辛口《からくち》の助言を与えるか――。それは、とても微妙な問題です。そしてそれは、頭で考えることではなく、心で考えることなのです。

子どもが何か新しいことを学ぼうとしている時には、子どもを支えるだけではなく、公平な評価をも与える必要があります。失敗した時には「もっと上手にできるはずだよ」と子ど

もを励まし、子どもの可能性を伸ばしましょう。そして、たとえ失敗した時でも親はいつも子どもの味方なのだということを教えてあげてください。

そのためには、その子はどんな欲求があるのか、何が得意なのか、何をしたいと思っているのかに十分に注意を払わなくてはなりません。子どもは、皆一人ひとり違います。人に何か言われるとすぐに挫けてしまう子、集中力のある子、人一倍支えや助けの必要な子、一人でやらせた方がいい子――子どもには、それぞれの個性があります。それを見きわめて、適切な助言を与えてほしいと思うのです。

子どもを励ます

たとえ結果がどうであれ、子どもが何かをやり遂げようと自分なりに頑張ったのなら、親はそれを認め、誉めることが大切です。

たとえば、まだ三歳のサマンサは、うまく弟の面倒をみることができません。でも、車のなかなどで、弟をあやして面倒をみようとします。そんな時、お母さんは、サマンサを必ず誉めるようにしています。

子どもをどのように励ましたらいいのかは、時と場合によって違います。子どもが挫けてしまわないように手を差し伸べたほうがいい時もあれば、一人でやり遂げるのを見守っていたほうがいい時もあります。しかし、いずれの場合にも、やさしい言葉をかけて、適切なアドバイスを与えることが大切なのです。

子どもがうまくできなかったとしても、親まで一緒に落ち込んではいけません。子どもがどこまで達成できたかに注目し、目標に向かって頑張ったことを誉めてほしいのです。

五歳のネーサンは、ブロックで塔を作っていました。倒れないように慎重に積んでいたのですが、微妙にバランスが崩れてしまいました。塔は崩れ、ネーサンはくやし涙を浮かべました。でも、お父さんは、そんなネーサンを励まして言いました。

「すごく高い塔を作れたじゃないか。ネーサンの背と同じぐらい高かったぞ。さあ、お父さんと、もう一度作ってみよう」

二人でブロックを積みながら、お父さんはネーサンに、どうしたら崩れにくく積めるかを示して見せました。お父さんは、まずネーサンの最初の塔を誉め、それから、崩れにくい塔の作り方も教えたのです。

このように、子どもの努力ややる気を誉め、その上で適切な助言を与えることが大切です。子どもを励ますということは、ただ子どもを誉めていればすむことではありません。

十四歳のスージーは、歴史のレポートにセーレムの魔女裁判を選びました。スージーは、いろいろな資料を集めて、一生懸命取り組んでいます。お父さんはそれを見て、うれしく思いました。けれども、あまりにも資料を集めすぎて、スージーはどうしていいかわからなくなってしまいました。締め切りは二日後です。

「わあ、頑張ってるな。ずいぶんたくさん資料を集めたね」

お父さんは、スージーに話しかけました。

「うん。でも、集めすぎ。どうしよう」

「どれが一番役に立つ資料なんだい？」

お父さんは尋ねました。

「ねえ、スージー。まず、その資料だけじっくり読んで、時間があったら、他の資料にも当たってみたらいいんじゃないかな」

スージーは、なるほどという顔をしました。またやる気が出てきたようです。

「一番良かったのは、この三冊」。スージーは少しほっとしたように言いました。

「他のは後回しにする」

お父さんは、まさにスージーが必要だったアドバイスを与えたのです。お父さんには、スージーが行き詰まって途方に暮れていることが分かっていました。ですから、もう一度やる気を出して締め切りに間に合うように、適切なアドバイスを与えたのです。このようなアドバイスは、ただ「よく頑張ったね」と誉めるよりも何倍も役に立つものなのです。

気をつけたいこと

子どもに自分でやらせるべきだとわかってはいても、親は、ついつい手を出したくなってしまうことがあります。特に幼い子の場合は、自分でやらせるよりも、親がやってしまったほうが早いことが多いものです。子どもが少し大きくなってからも、本人が進んでやるようにしむけるのは、忍耐のいることです。しかし、たとえ子どもが幾つであれ、子どもにやらせるべきことは、親が手出しをしないように注意しなければなりません。年齢と能力に合わせて、子ども自身にやらせるのは大切なことなのです。親の役目は、子どもが自分でできるように励ますことです。

ビリーは、靴紐《くつひも》を結ぼうとしていました。でも、四歳の小さな指では、なかなか輪を作れません。見ていたお母さんはイライラしてきました。もう、とっくに出かける時間です。お母さんは、マジックテープの靴にすればよかったと後悔しました。

「ほら、かしてごらんなさい」

お母さんはそう言うと、ビリーの手をはらって紐を結んでしまいました。お母さんの手の動きは速すぎて、どうやって結んだのかビリーには分かりませんでした。自分で結びたかったので、ビリーは、せっかく結んだ靴紐を解《と》いてしまいました。これで、ますます遅くなりました。結局、靴紐は解けたまま、お母さんもビリーも不機嫌になっただけでした。

このように、靴紐を結んだり、服を着たり、歯を磨いたり、部屋の片づけをしたりすることは、大人から見れば何でもないことに見えるでしょう。しかし、子どもには時間がかかるのです。親はその点に十分気を配らなければなりません。たとえば、朝、子どもを三十分、あるいは一時間早く起こすのは、かわいそうな気がするかもしれませんね。親も忙しくて気が回らないかもしれません。しかし、自分のことは自分でするということを子どもに学ばせるためには、子どもには十分な時間のゆとりが必要なのです。急いでやってうまくゆかずにイライラさせないためには、時間に余裕が必要です。

もう一つ気をつけたいのは、失敗してがっかりさせるのはかわいそうだと思って、ついつい過保護になってしまうことです。たとえ失敗したとしても、子どもが自分自身でやり遂げることに意義がある場合も多いのです。

六年生のエディーは、クラスの学級委員に立候補することにしました。ある晩、エディーが寝てしまった後、お母さんとお父さんはこんな話をしました。

「もし、選ばれなかったら、ものすごくがっかりすると思うわ」。お母さんは心配です。

「こんなことなら、勧めなければよかった」

お父さんは、笑いながら答えました。

「大丈夫だよ。いい経験になるよ」

お母さんは尋ねました。

「落選しても？」

「そのほうが、かえって、もっといい経験になると思うよ」。お父さんは言いました。

お父さんは、正しいのです。選挙の結果がどうであれ、エディーは立候補というこの経験から学び、成長することができます。選ばれれば、エディーは自信をつけることができますし、選ばれなかったとしても、目標に向かってベストを尽くしたという満足感が得られるに違いありません。このお母さんは、もうそろそろ、息子を保護するのではなく、息子が独り立ちするのを見守るというスタンスを取るべきなのです。

もう一つ気をつけたいことは、「やってみるだけでいいから」と言って、たとえば嫌いな野菜を食べさせたり、嫌がっていることを無理にやらせたりすることです。これでは、「ただちょっとやってみるだけでいい。後はどうでもいい」と言っているようなものなのです。子どもは、「ただやってみただけだから」と言い逃れして、最後までやり遂げる努力を放棄してしまうでしょう。

子どもが何か難しいことにチャレンジしようとしている時には、親は、子どもの可能性を信じることが大切です。ベストを尽くすように励ますことは、プレッシャーをかけることとは違います。きっとできると信じることが、子どものやる気を引き出すのです。どうせできっこないと親にあきらめられてしまったら、子どもはやる気を失ってしまいます。どんな子どもも、日々学び、成長しているのです。その子の持てる力を十二分に伸ばすことが、わたしたち親の役目なのです。

自分が叶えられなかった夢を、無理に子どもに実現させようとする親御さんがいらっしゃいます。わたしは、このような身勝手な期待を子どもに背負わせるのはよくないことだと考えています。

お母さんは、先生に頼み込んで、娘のティファニーを、無理やり上級数学のクラスに入れました。ティファニーは、難しくてついていけません。それでも、お母さんは決めてしまったのです。

「アイビーリーグに入るには、絶対このクラスに入らなくちゃならないのよ」

お母さんは言いました。

「ちゃんと勉強すれば、ついていけるわ」

ティファニーは、とてもみじめでした。アイビーリーグなんて、ちっとも行きたくありません。もし、お母さんが、もっとティファニーの身になってくれれば、ティファニーはこんなにみじめにはならなかったでしょう。数学で分からないところはどこなのか、なぜアイビーリーグに行くべきなのかをきちんと話していれば、ティファニーは納得して勉強することができたかもしれません。ところが、このお母さんは、娘はアイビーリーグに行くべきだと決めてかかり、数学が苦手なことも無視してしまったのです。これでは、ティファニーはプレッシャーを感じるだけです。お母さんは、勉強させようと娘を励ましているつもりなのですが、実際は、娘の気持ちを無視して自分の夢を押しつけているのです。

わたしたち親は、その子自身の人生、その子自身の考え方を尊重すべきです。もちろん、子どもは親と同じように考えるわけではありません。子どもは、それぞれ一人の人間として、その子独自の個性を持っています。子どものやりたいことをやらせ、子どもを支えていれば、親もまた豊かな経験をすることができるはずなのです。好きなことをしている子どもの目は輝いています。そんなイキイキした子どもの姿を見ることが親の本当の喜びではないかと、わたしは思うのです。

子どもには皆、夢がある

子どもの夢は無限です。どこまでも大きく膨《ふく》らみます。たしかに、夢を叶えるためには多大な努力が必要ですが、人間は、夢があるからこそ努力を惜しまないのです。子どもは大きな夢を抱き、恐れを知りません。そんな子どもの夢のために、親は、現実的な目で子どもを支えたいものです。

子どもは大きな夢を抱くものですが、子どもにとっては大きな夢でも、わたしたち大人にはささいなことに見えるかわいい夢もあります。

「クリスマスツリーの飾り付けをしたい。わたしが、てっぺんにお星さまを乗っけるの」

三歳のサーシャは言いました。もうお姉ちゃんになったと思っているサーシャは、家族みんなの大切な行事で一役買いたいのです。サーシャは、もちろん、ツリーのてっぺんに手が届きません。でも、お父さんにだっこしてもらえば大丈夫です。

「それはいいわね」と、お母さんは答えました。「手が届かないじゃない」などとは言わなかったのです。サーシャのお母さんとお父さんは、娘の夢が叶うように手助けしました。

実現するのが難しい大きな夢を抱く子もいます。途方もない夢を抱く子もいることでしょう。

トラビスは歌手になりたいと思っていました。でも、特別な音楽教育を受けたわけではありませんし、そんなに歌もうまくはありませんでした。けれども、お父さんは、そんな息子の夢を叶えてやりたいと思いました。お父さんは、マイナスの事実には一度も触れませんでした。お父さんは、息子には才能があると信じたのです。それにお父さんは、夢に向かって生きるのはすばらしいことだと思っていたのでした。

学校を卒業した後、トラビスはロサンゼルスに行き、ラップのナンバーを作って、バンドを結成しました。間もなくCDも出しました。トラビスは夢が叶ったのです。けれども、トラビスは、すぐに、自分には才能がないことを自覚せざるを得なくなりました。もうミュージシャンとしてやっていくことを諦《あきら》めねばならないかもしれませんでした。けれども、大切なことは、トラビスは夢に向かって進んだということです。お父さんも息子の夢を信じて支えました。それこそが大切なことだと思います。たとえ今後ほかの仕事に就いたとしても、夢に向かって全力投球してきた過去は、決して無駄にはなりません。トラビスは、今まで悔いのない人生を送ることができたのです。もし、途中で諦めていたら、いつまでも後悔だけが残ったことでしょう。

子どもを丸ごと誉める

わたしたち親は、子どもの行動面だけでなく、内面的な成長にも目を向けなければなりません。なんていい子なんだろうと思ったときや、やさしさや思いやりや意志の強さなど、すばらしい心を見せたときには、その子を誉めましょう。子どもは、自分に対する親の評価をもとにして自己像を形成します。その自己像は、学校や地域社会や将来の職場での人間関係に大きな影響を及ぼすのです。子どもの長所を見つけ出し、伸ばすことができれば、子どもは、最良の自己像を持つことができるでしょう。

わたしたち親は、子どもが夢を叶えることができるように、子どもを支え、励ましたいものです。あくまでも子どもの意志を尊重し、子どものやりたいことを、やりたいようにやらせたいと思うのです。親の役目は、陰《かげ》ながら子どもを支えることです。たとえどんなことがあってもこの子なら大丈夫だと信じることなのです。

もし、子どもが途方もない夢を抱いていたとしても、その夢を信じることです。子どもは自信を失いかけても、親に支えられれば、自信をとりもどすことができます。親が子どもを信じ、その子の夢、その子の力、その子のすばらしい内面を心から認め、子どもを支えれば、子どもは、自尊心のある強い人間に成長することができるのです。

広い心で接すれば、キレる子にはならない

我慢強いとは、どのようなことでしょうか。それは、現実を受け入れ、現実を認めるということです。ぐちぐちと文句を言いながら、いやいや我慢するということではありません。たとえ最悪の状況であっても、腹を決めて、できるだけの努力をするのです。そうすれば、きっと状況は良くなります。ベストを尽くせば、それだけで気持ちが明るくなります。そして、実際に、最終的にはよい結果が出るものなのです。

あと数日で六年生の新学期が始まるというときに、キーシャは脚を折ってしまいました。クラスのみんなが新学期を迎えているとき、キーシャは脚にギブスをして家でじっとしていなければなりませんでした。

この状況をどう捉えるかはキーシャ次第です。なんてみじめなんだろうと落ち込んでも無理のないことです。けれども、キーシャは、この現実を受け入れ、前向きに考えました。キーシャは、お母さんに手伝ってもらって、友だちを家に呼んでギブスパーティーを開くことにしたのです。ギブスに色を塗ったり絵を描いたりするパーティーです。学校の帰りに仲良しの友だちが何人かやって来ました。そして、ギブスに絵を描いたり、クッキーを食べたり、レモネードを飲んだりしながら、楽しくおしゃべりしました。キーシャは、こうして、脚を折るという不運な出来事を、友だちとの楽しいひとときに変えることができたのです。

子どもは待つのが苦手

辛抱強く待つのは、大人にとっても簡単なことではありません。けれども、すぐに癇癪を起こしたり、イライラしたりすれば人に嫌われてしまいます。ですから、わたしたちは、我慢してじっと待つのです。

大人にさえ難しいことですから、幼い子どもにとっては、待つことはとても難しいことです。幼い子どもは、他の人がどう思うかということがまだわかりません。ですから、周りにおかまいなしに泣いたり叫んだりします。また、まだ時間の観念がないのも、待てない原因の一つと言えます。「あとどのくらい?」「もう終わり?」「まだなの?」「いつなの?」。幼い子どもは、時間の経過というものがはっきりと理解できません。そのために、こんな言葉を使って何度も親に問いかけたりするのです。

待つことを教える機会は、毎日の生活のなかにたくさんあります。

「お腹が空《す》いた！」

こんなふうに子どもが待ちきれずに叫んだとします。そうしたら、料理には時間がかかるのだということを説明しましょう。パスタをゆでて、野菜を切って、オレンジの皮を剝《む》かなくてはならないのだと、具体的に教えるといいでしょう。

「氷がほしい！」

そう子どもがねだったとします。そうしたら、アイストレーを見せながら、水が氷になるには時間がかかるのだと説明しましょう。これは科学の勉強にもなります。子どもがイライラしだしても、親は腹を立てずに、子どもの気持ちをまず分かってあげてほしいのです。そして、その事になぜ時間がかかるのかを説明し、納得させるのです。

子どもは、お店で列に並んだり、長時間車に乗ったりすることが特に苦手なものです。しかし、こういう時こそ上手な待ち方を教えるいい機会なのです。

たとえば、子どもと一緒に列に並んだ時のことを考えてみましょう。こんな時は、学校のことや、今まで話したくても話せなかったことを話し合ういい機会です。車のなかで子どもが退屈したときにはどうでしょうか。たとえば、こんなゲームをしてみてはどうでしょう。幼い子どもだったら、すれ違うトラックや赤い車の台数を数えさせる、通りすぎる白い家の軒数を数えさせるのです。退屈な時間が楽しいゲームの時間に変わります。

子どもは、待ち遠しいと思う気持ちも、なかなか押さえることができません。子どもにとって、休みの日は格別です。もう、わくわくして待ちきれません。でも、こんなわくわくした気持ちがあるからこそ、親が上手に教えれば、子どもは、時間の経過の概念や待つことの大切さを学ぶことができるのです。たとえば、子どもに、カレンダーの見方を教えて、一日、一週間、一ヵ月単位の時の経過の概念を教えることができます。小学校に入る前の子どもなら、専用のカレンダーを与えて、楽しみにしている特別な日にシールを貼らせるのもいい方法です。その日が近づいてきたら、たとえば、この日にはクリスマスの飾りつけ、そしてこの日には誕生日のプレゼントを作るなど、その日のための準備をする予定をたてるのです。そうすれば、特別な日はより強く意識され、その日を待つまでの日々も充実したものになるでしょう。

子どもに待つことを教える

わたしたち親自身が、日常生活のなかで、ちょっとした不都合や不便にいちいち腹を立てていたらどうでしょうか。それでは、待つことや我慢することの大切さを子どもに教えることはできないでしょう。わたしたちは、大人になる過程で、自分を押さえて我慢する術《すべ》を学んでゆきます。たしかに、我慢するのは楽しいことではありません。しかし、だからこそ、日頃から子どもの良いお手本になるように努力したいものだと思うのです。

家への帰り道、お父さんと十歳のエリックは、渋滞に巻き込まれてしまいました。車はほとんど動きません。少しでも前に進もうと、車線を変える車が出てきました。

「ねえ、パパ、割り込んじゃえば？　あっちの車線のほうが動いてるよ」

エリックは我慢できずにお父さんに言いました。

お父さんは、エリックに教えたいと思い、こう言いました。

「車線を変えても、結局、同じだよ。あれで、事故が起きるんだよ。渋滞に巻き込まれたら、まあ、呑気《のんき》に構えることだね」

お父さんは、このような状況は冷静に受け入れるべきだということをエリックに教えました。また、その理由も説明しました。こんなお父さんの態度は、愚痴《ぐち》をこぼしたり、イライラしたり、他のドライバーに喧嘩を売ったりするよりも、ずっといいことは言うまでもありません。

ところで、人生には、なかなか冷静に待つことができない時もあるものです。たとえば、赤ちゃんの誕生を待っているとき、家族の誰かが手術を受けているとき、仕事の採用通知を待っているときなど——。このような大きな出来事には、とても心穏《おだ》やかではいられません。しかし、これもまた人生の一部です。親がこのような状況にどう臨《のぞ》むか、それが子どもの手本となります。

どうすれば、うろたえずに冷静でいることができるでしょうか。たとえどんな事が起こっても、落ちついて、事に備えたいものです。そのためのちょっとした工夫をお教えしましょう。まず、目を閉じてゆっくり深呼吸します。そして、気力、活力、幸福、理性——この四つをそれぞれ一つずつ吸い込む気持ちで深呼吸を繰り返します。いかがでしょうか。こんな簡単な深呼吸一つでも、ずいぶん気持ちが落ち着き、元気になるものなのです。

気を鎮めるもう一つの方法は「今自分にできる事は何か」と自問自答することです。「今はどんな状況なのか。そして今、自分にできることは何か」

心配の種をくよくよ考えていてもしかたありません。何かほかのことをして気をまぎらわせることが大切です。ある女性は、生体組織片の検査の結果を不安な気持ちで待っていました。しかし、そんなことより、家じゅうの窓をみがいてしまおうと思い立ちました。

「窓をみがいている間は、検査のことを忘れていられたし、結局、家中の窓がピカピカになって、家も心も明るくなりました」と、その女性は語ってくれました。

時には、子どもが力になってくれることもあります。ある若いお母さんは、五歳の娘さんにとても慰《なぐさ》められたそうです。

「赤ちゃんが熱を出して、とても心配でした。そんな時、娘のモリーがわたしの肩を叩いて、『大丈夫よ、ママ。ジョニーはきっと良くなるから』と言ってくれたんです。お陰でわたしは気を取り直し、取り乱さずに済みました。娘のためにもジョニーのためにも、しっかりしなくてはと思ったのです」

待つことを自然から学ぶ

幼い子どもには、どのようにして時間の観念を教えたらよいでしょうか。

たとえば、植物を育てさせて、時間の経過を教えるのも一つのよい方法です。子どもに、毎日植木に水をやらせるとします。すると、子どもは、小枝に芽がふき、若葉が育っていくようすを見ることができます。そして、時の経過を実感するのです。子どもは、生命が育つのには時間が必要であり、じっと待たなくてはならないのだということを、この経験によって感じ取ることができるのです。

一年生のトミーのクラスでは、トマトの苗木を育てていました。毎週、トミーは、お母さんに、苗木がどれだけ大きくなったか、だれが水をやったかを報告します。ある日、トミー

です。

は興奮して言いました。

「今日、棒を差したんだよ。蔓《つた》がからまるように」

お母さんは、トミーの話をきちんと聞いていました。しかし、家事のことも考えていたのです。

「いつトマトがなるの？」

お母さんは尋ねました。

トミーは、答えられませんでした。なぜなら、苗木が育っていくこと自体がうれしかったからです。トマトの実がいつなるのかは、トミーの念頭にはありませんでした。

「きっと、もうすぐ……」

お母さんは、ほかのことを考えていて、うっかりしてしまったと気づきました。息子のトミーは、苗木が毎日少しずつ育っていくことに目を見張り、その変化を楽しんでいたのです。トマトの実はいつかなるでしょう。けれど、それはトミーにとっていちばん大事なことではありません。トミーは、植物の命が育っていく全過程に胸をときめかせているのです。

「トミーはよく見ているわね。苗が大きくなっていくのを」と、お母さんは言いました。

「毎日毎日大きくなるんでしょう。すごいわね」

トミーはお母さんの顔を見て、にっこりしました。

共に生きる心

自分とは異なった人々をどんな目で見、どう接するか。それは、その人の心の広さを映しだす鏡となります。心の狭い人は、人種、宗教、文化的背景の異なった人々を受け入れることができません。

親が差別的な言葉を口にしたらどうでしょうか。子どもは、たとえ漠然《ばくぜん》とであれ、その言葉の意味を理解し、親の真似をするようになります。

マイケルは五年生になりました。新しい担任の先生は、マイケルとは異なった人種の人でした。お母さんにはそれがとても気になるらしいのです。

「今度の先生はどう？」

お母さんは、しつこく聞いてきます。

「どんな本を読みなさいって言う？　特定の人たちだけひいきすることはない？」

お母さんはどうしてこんなにしつこいのかと、マイケルは思いました。

「後ろの黒板に好きなように絵を描いてもいいって言ったよ。休み時間には、外でいっしょに遊んでくれる」

お母さんはまだ不満そうです。

「本当にいい先生だと思うの？　マイケルは、他のクラスに入れてもらいたくない？」

一体お母さんは何を言っているんだろうとマイケルは思いました。マイケルは最初、新しい先生が好きでした。でも、もうなんだかあまり好きではなくなってきたのです。次の日、学校に行っても気分はすっきりしません。なんだか先生は、本当に一部の人をひいきしているような感じもしてきました。先生は、お母さんの言うとおり、マイケルのことは好きではないようです。どうも、そんな感じです……。

もし、マイケルのお母さんに、人種差別についてどう思うかと尋ねたら、きっと「本当にひどいことです」という答えが返ってくるでしょう。けれど、このお母さんは、息子に身をもって人種差別を教えているようなものなのです。

二十一世紀を生きるわたしたちの子どもたちは、未来の世界を担《にな》っています。未来の世界は、地球レベルで異なった人種の人々が協力しあい共存してゆく世界です。子どもたちは、自分とは異なった肌の色や文化的背景や信条を持った人々と、仲良く暮らしていかなくてはならないのです。わたしたち親は、異文化に対する理解を深め、そこから学ぶ姿勢を、子どもたちに教えてゆきたいものです。

家庭生活で学ぶ

子どもにとって家庭とは、人生で最初に出会う共同生活の場です。そんな家庭のなかで、子どもは、自分とは異なった人とどうやって仲良く暮らしていくかを学ぶのです。時には喧嘩をしたり、争ったりすることもあるでしょう。けれども、家庭生活は、違いを尊重し、受け入れ、そこから学ぶことによって、より豊かなものになるのです。

親であることは、想像を絶するほど忍耐のいる仕事です。もしかすると子どもは、常に親の忍耐力を試しているのかもしれません。そう思えるくらいに、子育てには忍耐が必要です。子育ては、この世でいちばん大変な仕事だと言われているのも頷けます。

しかし、また、子育てほどやりがいのある仕事はほかにはないでしょう。子どもを慈《いつく》しみ、立派に育てることほどすばらしいことはありません。けれど、そうとは分かっていても、どうしても、堪忍袋の緒《お》が切れて、子どもに辛く当たってしまうこともあります。そして、一日に何度も子どもに謝りたいと思うこともあるでしょう。子どもは、そんな親の気持ちを分かってくれます。子どもは、靴がうまく履けずに癇癪《かんしやく》を起こしたり、順番が待てなくてぐずったりするかもしれません。しかし、親に対してはこの上なく寛大なのです。

わたしたち親は、子どもに、たとえどんなことが起こっても、それを冷静に受けとめ、切り抜けていく忍耐力と広い心を持ってほしいと願っています。親自身が日頃から努め、和気あいあいとした家庭を作ってゆけば、それが子どもにとっての手本となり、今後の人生の糧となるはずなのです。

誉めてあげれば、子どもは、明るい子に育つ

子どもを誉《ほ》めることは、親の大切な愛情表現の一つです。子どもは、親のことばに励まされて、自分は認められ愛されているのだと感じるのです。親の誉め言葉は、子どもの心の栄養となります。子どもの健全な自我《じが》形成には欠かすことができません。

子どもが為し遂げたことだけではなく、その子の意欲も誉めましょう。子どもを誉めすぎるということはありません。子どもが大人になり、様々な苦難にぶつかった時、子どものころ親に誉められたことが、心の強い支えになります。親の言葉を、子どもは一生忘れないのです。

子どもは、自分を誉めてくれる親を見て育つことで、友だちとの関係でも相手の良い所を

認めて仲良くやっていくことの大切さを学びます。こうして、子どもは、相手の長所を認められる明るい子に育ちます。親に誉められた分だけ人に好かれる子になるのです。

その子のいいところを見つけ出す

どんな子どもも誉められるべき美点や長所を持っています。子どものことをよく見ていれば、たとえどんなささいなことでも、必ずよいところが見つかるものです。伸ばしてほしいと思う美点や長所を、わたしたち親が誉めてあげられればと思います。

仲良しの家族が集まってピクニックをしていました。小学校高学年の子どもたちは、飛んだり跳ねたり、元気にバドミントンをしています。十二歳のライアンは、五歳の妹にラケットを持たせ、肩車をして、妹にもバドミントンをやらせてあげました。妹は、お兄ちゃんやお姉ちゃんの仲間入りができて大喜びです。だって、本当に羽根を打つことができたのですから。

子どもたちがソーダを飲みに休憩《きゅうけい》に入ったとき、ライアンのお母さんは、そっと息子に言いました。

「妹を仲間に入れてあげて、ライアンは本当にいいお兄ちゃんね」

ライアンは、肩をすぼめると、ほかの子どもたちと走って行きました。でも、その顔には、一瞬、はにかんだような微笑みが浮かびました。自分が妹にやさしくしたのを、お母さんはちゃんと見ていてくれたのです。このように、子どものちょっとした行いを誉めてあげることで、子どもは、自分が認められたのだと嬉しく感じます。そして、ますます長所を伸ばすことができるようになります。

たとえ子どもが悪いことをしたときでさえ、親の考え方しだいでは、いい面を見つけだすことができるものです。

四歳のフレデリックと弟の二歳のジョーが、子ども部屋で遊んでいました。すると、突然、泣き叫ぶ声が聞こえてきました。お母さんは部屋を覗《のぞ》いて、尋ねました。

「どうしたの?」

「ジョーがぼくの車を取ったんだ!」

目に涙を浮かべてフレデリックが言いました。ブリキのレッカー車を高く持ち上げて、ジョーの手が届かないようにしています。

お母さんは、どうしてこんなことになったのか、今はこれ以上聞くのはやめました。「ジョーにそれを貸してあげたくないのね」。

「だって、ジョーはまだ小さいから」

フレデリックは力を込めて言いました。

「けがしちゃうもん」

お母さんは、確かにそうだと思いました。レッカー車はブリキでできています。実際、小さい子向けではありません。

「弟のことを考えてあげて、偉いわね」

お母さんは言いました。

「ほかにジョーが遊べるおもちゃはないかしら。それを貸してあげたら？」

フレデリックは大きな木製のトラックを持ってきました。そして、レッカー車をお母さんに渡しました。お母さんはレッカー車をそっとジョーの目のとどかない所に隠しました。フレデリックは「はい、これ」と、木のトラックをジョーに渡しました。ジョーは微笑み、そのトラックで遊び始めました。フレデリックは、弟思いのお兄ちゃんになれたことで嬉しそうです。

フレデリックの言ったことは、もしかしたら嘘だったのかもしれません。けれど、そうであっても構わないのです。大切なことは、フレデリックが、弟思いのお兄ちゃんとして扱われたことなのです。お母さんはフレデリックのことを信じました。フレデリックも、よいお兄ちゃんになりたいと思ったのです。子どもを信じ、その長所が伸びるようにすれば、子どもは、本当に親の願うような子に育ってゆくものなのです。

親に誉められた面が伸びる

子どもには、それぞれ様々な長所があるものです。けれど、親は、自分が価値を見いだしている長所だけを誉めるものです。不幸なことに、現代の消費社会では、人の価値はその人が何を持っているかによって決まる傾向があります。このような物質主義に洗脳されないように、親は子どもに自らが信じる価値観を教えてゆきたいものです。親が子どもを愛するのは、その子がその子であるからです。この親の愛情こそが、物質主義ではない、大切な価値観を教える第一歩となります。

親は、あらゆるメディアから毎日流れてくる消費文化の価値観から、子どもを守らなくてはなりません。わたしたちは、人間の欲望をかぎりなくかきたてる消費文化のなかで生きています。そのことを、子どもに幼いうちから教える必要があります。たとえば、お金や物があれば、幸せも友だちも愛情も何でも手に入ると宣伝している広告やコマーシャルに踊らされたくはありません。子どもを、本当に必要な物は何であるかが分かるバランス感覚のある人間に育てたいと思います。

親が子どもを愛するのは、その子がかけがえのないその子だからです。人間は、その人が何を持っているかでその価値が決まるわけではありません。子どもは、親が自分を自分ゆえに愛してくれる姿から大切な価値観を学ぶのです。

五年生のジェイクのクラスに転入生のティモシーが入ってきた時、みんなは圧倒されました。ティモシーは、海外での生活が長かったので、何ヵ国語も話せましたし、運動神経も抜群でした。家は豪邸でした。最新のテレビゲームは山ほどあって、テレビは大型画面、それに玉突き台まであるという噂です。

けれども、ジェイクが遊びに行ってみると、ティモシーはとてもわがままで意地悪な子だということが分かりました。お父さんに車で迎えに来てもらったジェイクは、車の中でむっつりしています。お父さんは尋ねました。

「ティモシーと何をして遊んだの？　楽しかったかい？」

ジェイクは、ティモシーがとてもわがままで、ゲームに勝たないと臍《へそ》をまげ、勝つためにはズルまでするのだと語り始めました。

じっと聞いていたお父さんは、息子の話が一息ついたとき言いました。

「それで、ティモシーのこと、どう思ったんだい？」

「好きじゃない」

ジェイクは、すぐ答えました。

「そうか……どうして、好きじゃないんだい？」

「ティモシーはすごいテレビゲームをたくさん持ってるけど、でも、もういっしょに遊びたくない！」

お父さんは、ちょっと間を置いてから言いました。

「そうだよ、ジェイク。その人がどんなにいい物を持っていたとしても、いちばん大切なのは、その人がどういう人かっていうことなんだ。ジェイクはそれが分かって、偉いね」

お父さんは、ジェイクが気づいたことを代わりに言ったのです。日常生活のちょっとした場面で、このように、子どもに大切な価値観を教えるチャンスはたくさんあるのです。

子どもには親の気持ちが分かる

子どもを誉めるのは大切なことですが、うわべだけでは意味がありません。本心から誉めなくてはならないのです。

子どもの試合の応援をしている親御さんたちの姿を見ると、その親御さんが何に価値をおいているかが一目瞭然《いちもくりょうぜん》になることがあります。はからずも、勝つことがすべてだと言ってしまっているお父さん、お母さんを見かけることがあります。

九歳のロビーは、リトルリーグに入っていました。あまり上手ではありませんが、野球が大好きですし、野球を通して肉体だけでなく心も鍛《きた》えられています。ロビーはいつもベストを尽くし、自分なりに成果を上げているのです。けれど、ある時、ロビーは試合に集中できなくなってしまいました。ロビーのお母さんが観客席とグランドの境を示すラインぎりぎりに立って、「勝て、勝て！」と叫んでいたのです。バッターボックスに入るときや、守備についたロビーの方に球が飛んできたときには、お母さんの叫び声はひときわ高くなります。お母さんが夢中になればなるほど、ロビーはへまをしてしまいます。

試合はロビーのチームの敗けでした。お母さんは言いました。

「いいのよ。一生懸命やったんだから」

でも、ロビーには、お母さんは本当はそうは思っていないことがよく分かりました。

確かに、子どもに失望するときはあります。失望を無理に隠してもしかたがありません。しかし、いちばん大事なのは、親の気持ちではなく、子ども自身の気持ちではないでしょうか。うまくゆかず、子どもは落ち込んでしまうときがあります。しかし、ここで親も一緒になって落ち込んではいけません。ロビーは、お母さんに、心から「頑張ったわね」と言ってほしかったでしょう。ロビーは、野球が大好きなのです。スポーツマンシップやチームワークや頑張る心を学んでいるのです。試合に勝つことがすべてではありません。親は、あくまでも、子どもの夢を支えてあげる存在でありたいものです。

わたしたちはいつも、親として、嘘のない言動をしたいと思っています。けれど、現実には、時には嘘をつくことも必要です。もちろん、子どもが正直な子に育ってほしいと願っています。しかし、時には上手な嘘も必要なのです。相手の気持ちを慮《おもんぱか》って、はっきり言わないほうがよいときもあるのです。

またわたしたちは、子どもには礼儀正しく振る舞ってほしいと願っています。しかし、ただ形だけの礼儀正しさを教えたいとは思いません。同時にまた、他人の親切や思いやりに心から感謝できる子になってほしいと願っています。これらはみな複雑な問題ですが、一番よい方法は、親自身が手本になって示すことです。正直であることと、相手を思いやる気持ち——この二つのバランスは微妙なものです。よい人間関係を親自身が築いてゆきたいものです。

自分を好きになることの大切さ

自分で自分を好きになることは、とても大切なことです。自分自身を愛することのできる心の安定した人間に、子どもが育ってほしいものです。健全な自己愛は、生きるうえでのエネルギー源となります。その積み重ねは、幼い頃から始まっています。

四歳の娘を保育園へ迎えに行ったお母さんが、先生と立ち話をしていた時のことです。自分でできたパズルを、その子がお母さんに見せました。

お母さんは、その子を誉めて言いました。

「まあ、お利口ね。こんなに難しいパズルができて」

先生はやさしく、もう一言つけ加えました。

「自分がすごいって思わない？　こんなパズルができて」

先生のこんな言葉を聞いて、この小さな女の子は自信がついたのではないでしょうか。

ただ誉めてあげるだけでは足りないときもある

子どもは、親にもっとかまってもらいたいというシグナルとして、「ほら、すごいでしょう、誉めて、誉めて」と親の注意を引こうとすることがあります。こんなとき、子どもは、親に愛されたいという最も基本的な欲求を示しているのです。ですから、親は、まず、その欲求を充たさなくてはなりません。

四歳のジョシュアは、テーブルでコーヒーを飲んでいるお母さんの脇で、床に寝転がって絵を描いていました。

「ほら、見て」

まだ描き始めたばかりの絵を見せながら、ジョシュアは言いました。

お母さんは、その絵を見ながら言いました。

「まあ、よく描けてるわ。どんな絵になるのかな?」

ジョシュアは、何も答えずに、紙とクレヨンを持ってお母さんにすり寄ってきました。

「お膝に座ってもいい?」

お母さんは、ジョシュアが絵を描けるように、コーヒーカップを脇に置いてスペースを作りました。ジョシュアに必要だったのは、絵を誉めてもらうことではありませんでした。スキンシップが必要だったのです。ジョシュアは、それを動作でお母さんに伝えたのでした。

親とのスキンシップがたくさん必要な子もいれば、そうでない子もいます。手をつないだり、抱きしめてもらったりしないと落ち着かない子もいれば、遠くから手を振るだけで満足する子もいるのです。その子がどんなタイプかによって、わたしたち親も接し方を変えなくてはなりません。言葉で誉めてもらうだけでは足りない子には、十分なスキンシップをしてあげましょう。

親の離婚や病気や死、引っ越しや失業など、家庭生活に大きな変化が起こることがあります。そんなときは、親は普段以上に子どもに気を配ってあげなくてはなりません。子どものそばにいて、事情を話すだけでなく、子どもの話を聞き、気持ちを受けとめなくてはなりません。こんなときこそ、子どもには親の愛情がぜひとも必要なのです。

幸せな幼年時代

人に誉められたとき、恥ずかしがったり卑下《ひげ》したりせずに、素直に感謝して喜べる人に育ってほしいとわたしは思います。親に誉められて育った子どもなら、きっとそうなることでしょう。自分のよさを親に誉められて育った子どもは、この世の中のよさも認められる子になります。日々の暮らしのなかで、子どものよい面を少しでも多く見つけだしてください。そうすれば、子どもは幸せな幼年時代を送ることができ、後の人生の幸福も約束されるに違いありません。

愛してあげれば、子どもは、人を愛することを学ぶ

わたしたちは、人を愛するとき、人生の真の喜びを感じます。愛ほど、強く大きな力はありません。人を愛し、愛されることは、人間にとっていちばん大切なことです。親に惜しみなく愛された子は、すくすくと育ちます。親の愛は、子どもにとって、成長に欠かせない土壌です。同時に、伸びていく方向を決める陽の光であり、欠くことのできない水でもあるのです。

子どもは生まれた瞬間から、いや胎内にいるときからすでに親の愛を必要としています。生まれたばかりの赤ちゃんは、親の愛情がなければ生きてゆけません。親の胸に抱かれ、あたたかい眼差《まなざ》しを注がれて、子どもは親が自分を愛してくれていることを感じるのです。子

どもは、どんなに大きくなっても、常に親の愛を必要としています。親は、そんな子どもに、愛しているということを態度で示してあげましょう。子どもを愛するということは、子どもの全存在を認めるということなのです。

愛が必要なのは、もちろん子どもだけではありません。愛は、人間の根源的な欲求であり、わたしたちは大人になってからも、人のぬくもりや心の触れ合いを求めつづけます。わたしたち人間は皆、自分を丸ごと受け入れてくれる誰かを必要としているのです。

愛情は、ことばや態度に表れます。子どもはそれを敏感に感じ取るものです。口先だけで「愛している」と言ってもだめなのです。わたしは、子育て教室で、親御さんたちに、愛は三つの柱で支えられているのだとお話しします。その三つとは、子どもを認め、信じ、思いやることとです。欠点も含めた全存在を受け入れ、愛してくれる親というものが、子どもにはぜひとも必要なのです。子どもは、そのように愛されることによって、人を愛することを学ぶのです。

親の愛とは、子どもを無条件に受け入れること

「受け入れる」という言葉の英語の元々の意味は「自分の方へ引き寄せる」というものです。親が子どもを受け入れるのは、まさに「自分の方へ引き寄せる」行為なのです。親は、

子どもに微笑みかけ、抱き寄せ、頬ずりし、口づけします。幸福な子どもの幼年時代は、このような親とのあたたかい触れ合いに満ちているものです。

子どもを丸ごと愛している親は、その子のすべてを認め、受け入れています。ですから、子どもを自分の望むように変えたいとは思わないものです。けれど、自分の夢に固執している親御さんはそうは思えないのです。

あるお母さんの娘さんは、バレエより本を読むのが好きでした。あるお父さんの息子さんは、バスケットボールより化学に興味がありました。このお母さんとお父さんは、そんなわが子に不満でした。しかし、自分の叶わなかった夢を子どもに託すことと、子どもが自分の夢を実現できるように支え、励ますことと、どちらが親として大切でしょうか。親が親自身の夢にしがみついているのと、子どもの夢を分かち合うことと、どちらが親として豊かな体験ができるでしょうか。

言いつけを守らなかったり、いい成績を取らなかったりしたら親に愛してもらえないと感じる子がいたとしたら、それはとても不幸なことです。愛は、何かの報酬として与えられるものではありません。「これをすれば愛してあげる」と、愛情に条件をつけるのは本当の愛とは呼べないのです。

子どもを無条件に愛したら、子どもは怠《なま》け者になってしまうのではないかと心配する親御さんがいます。しかし、そんなことはありません。親の愛とは、子どもの人生の土台なのです。何かと引き替えに、子どもが努力して手に入れられるようなものではありません。

もちろん、子どもを無条件に愛することと、子どもを甘やかすこととは違います。子どものすべてを受け入れながらも、悪いことは悪いと教えることが必要なのです。

六歳のジェイソンは、庭に自転車を置きっぱなしにしていました。いつも、お父さんの車の通り道に放ったままなのです。お父さんは、きちんと軒先に入れておきなさいと何度も言っていました。車で倒してしまう恐れがあったからです。でも、ジェイソンは、いつもうっかりしてしまいます。とうとう、ある晩、お父さんは、車輪の下で何かが潰れるのを感じました。

お父さんは、怒りを抑えながら玄関の扉を開けました。何も知らないジェイソンは、帰ってきたお父さんに抱きつきました。

お父さんはジェイソンを抱きあげました。それから、真面目な声でジェイソンに言いました。

「見せたいものがあるんだ」

そして、ジェイソンを窓辺へ抱きかかえていきました。窓の外に、つぶれた自転車が見えます。

「わあ、ひどい！」

ジェイソンはそう叫ぶと、お父さんの首にしがみつき、肩に顔をうずめました。

「自転車を置きっぱなしにしただろう」

お父さんは事実だけ言いました。ジェイソンは頷《うなず》きました。お父さんは、ジェイソンを抱きかかえたまま言葉を続けました。

「お父さんは、ずっと、こうなると思ってたんだよ」

そして、ジェイソンを床に降ろし、息子の目をじっと見つめました。

「自転車は、もうダメかもしれないよ」

ジェイソンは、涙ながらに頷きました。お父さんは言いました。

「行って、よく見てみよう。直せるかもしれないしね」

このお父さんは、こうして、息子に「たとえ過ちを犯しても、お父さんはいつもお前の味方だよ」ということを伝えようとしたのです。

スキンシップの大切さ

子どもを抱きしめたり、やさしく体に触れたりするスキンシップは、大切な愛情表現の一つです。人と触れ合いたいと思うのは、人間の根源的な欲求です。それは赤ちゃんから老人まで変わりません。実際、最近の研究でも、触れることには癒しの作用があることが判明しています。医学的な治療を受けた後、愛情のこもった手で触れてもらうと、わたしたちの体は、治癒能力を高めるというのです。

親とのあたたかい触れ合いが子どもに必要なことは言うまでもありません。お父さんやお母さんの膝に抱かれれば、悲しみは癒され、擦《す》り傷の痛みも消えてしまいます。ちょっと抱き寄せてもらうだけでも全然違うのです。

できるだけスキンシップをし、子どもを愛しているということを示してください。これは、本当に大切なことなのです。わたしの子育て教室で、こう話してくれたお母さんがいました。

「わたしは、息子を十分愛してあげなかったのではないかと、今とても後悔しています。本当は、とても愛していたのに。それを示してあげられなかっただけだったんだと思います」

どのようにして愛情を示したらいいのかを学び直さなくてはならないと感じている親御さんもいることでしょう。あるお母さんは、自分の両親は冷淡だったとわたしに話してくれました。しかし、このお母さんのご両親も、親としてうまく愛情を表現することができなかっただけなのかもしれません。ですが、親子関係のパターンは繰り返されるものです。このお母さん自身も、わが子を愛しているにもかかわらず、うまく愛情を表現できないと悩んでいました。

けれど、このお母さんは子どもを強く愛していました。親から受け継いでしまったパターンから抜け出し、娘には十分に愛情を示したいと思ったのです。そこで、できるだけ娘を抱きあげるようにし、本を読んでいるときや遊んでいるときも、なるべく体に触れるようにしたのだそうです。そうしてみると、スキンシップの機会は、毎日、驚くほどあることに気づきました。自分が親にそうされなかったので、今まで気づかなかっただけだったのです。数週間後、このお母さんは、わたしに言いました。

「スキンシップは、子どものためだけじゃなく、親のためにもすごくいいものなんですね」

子どもには、親とのスキンシップが不可欠です。やさしい言葉だけでなく、肉体的な接触によって、子どもは、親が自分を愛していることを感じるのです。できるだけ多く、子どもを抱きしめ、やさしく触れてください。子どもには、そんな親の愛がぜひとも必要なのです。

両親の夫婦仲は、子どもの結婚生活の手本

両親がどんな夫婦であるかは、カップルのあり方の手本として、子どもに大きく影響します。子どもは、両親の姿から、結婚生活とはどのようなものであるかを学びます。そして将

来、自分たちの結婚生活の手本とするのです。両親がどのような夫婦であるかは、善かれ悪しかれ、子どもがどのような相手を配偶者として選び、どのような夫婦関係を築いてゆくかを大きく左右するものなのです。

夫婦仲の万能薬はありません。だからこそ、わたしたち親は、できるだけ良い手本になれるように努力しなければなりません。良い夫婦とは、双方の愛情のバランスの取れたカップルです。相手の長所も短所も認め合っている、やさしさと思いやりに満ちた夫婦です。

子どもは、両親の良い面も悪い面も見ています。お母さんとお父さんは夫婦として、互いに相手を尊敬し、支え合っているでしょうか。自他の違いを認めながらも、共通の価値観と愛情によって結びついているでしょうか。そんな御夫婦であれば、子どもにとって、未来の幸福な結婚生活の手本となることができると思うのです。

親に愛されて育った子ども

親に愛されている子どもは、頑張り屋で親切です。自分を肯定し、愛することのできる人間に成長してゆくでしょう。愛情に満ちた関係とはどのようなものであるかが分かっているので、将来、愛し愛される関係を築いていくことができます。これこそが、人生で最も大切なことの一つなのです。

認めてあげれば、子どもは、自分が好きになる

わたしたち親は、子育てのあらゆる場面で、子どもにわたしたち自身の価値観を教えています。子どもは、自分が何をしたら誉められ、何をしたら叱られるかという体験を通して、親は何を良しとし何を悪いと考えているかを学ぶのです。子どもの人格形成において、親の価値観は、大きく影響します。

親が忙しすぎたり、子どもに無関心だったりすると、せっかくの子どもの長所に気づかず、優れた部分を伸ばすことができなくなってしまいます。子どもの長所が光るのは、日々の暮らしのほんの些細《ささい》な出来事においてです。それを見逃さないでほしいのです。

ある日の午後、庭仕事を終えたお父さんは、玄関で七歳のスティーブに迎えられました。

スティーブは、人差し指で「シーッ」という仕草をし、「ママがお昼寝してるから」と言いました。

「教えてくれて、ありがとう。いい子だね」。お父さんは、スティーブを抱きよせて、そう答えました。

こんなふうに子どもを一言誉めることが大切なのです。こんな時の親のちょっとした言葉や仕草《しぐさ》を子どもは覚えているものです。

机に向かっていたお母さんは、家の中がとても静かなのに気づきました。そこで五歳の娘の部屋を覗いてみると、レベッカは、お人形を揺り籠に寝かしつけているところでした。

レベッカはお母さんに気づき、顔を上げて微笑みました。お母さんは、投げキスをし、親指を立てて「グッド！」のジェスチャーをしました。

お母さんは、机に戻ると、思いました。人形の「やさしいママ」になった娘はなんてやさしい子なんだろうと。もう一人遊びができるようになったことも、お母さんには嬉しかったのです。

子どもの見せるちょっとした行動を、親御さんは見逃さないでほしいのです。もちろん、忙しくてそれどころではない時もあるでしょう。しかし、子どもに注目することはとても大切なことなのだということを、いつも頭の隅に置いていただければと思います。

子どもは親に誉められた面を伸ばしてゆく

親が子どもの長所を見つけ出し、それを誉めれば、子どもは肯定的な自己像を形成していくことができます。子どもは、よいところを誉められれば誉められるほど、よい子になろうと頑張るようになるものです。

ある日、お父さんは、八歳の息子に言いました。

「おばあちゃんが来ていたとき、やさしくしてあげていたね。おばあちゃんがソファから立ち上がるのに手を貸してあげただろう」

「ほんと?」

ブラッドは驚いて言いました。あんなことがお父さんの目にとまり、誉められることになるなんて思ってもいなかったのです。このお父さんは、こんなふうに息子を誉めることで、人を思いやり、やさしくすることの大切さを教えました。その家庭の価値観は、このようにして親から子へと伝えられてゆくのです。

親に誉められて初めて、子どもは、今まで自分では気づかなかった自分の長所に気づくこともあります。

七歳のアマンダは、ビーズでブレスレットを作れるようになりました。友だちがみんなブレスレットを欲しがったので、アマンダは、一人一人に似合う色を選んで作ってあげました。

こんなアマンダのどこを誉めるかは、お母さんの腕の見せどころです。「すごいわね。こんなきれいなブレスレットが作れるなんて」と、センスの良さを誉めることもできます。あるいは、「こんなによくできているんだから、お店で売れるわね」と、ブレスレットの商品価値を誉めることもできるでしょう。けれど、このお母さんは、「お友だちに合わせて、一つずつ作ってあげるなんて、やさしいわね」と、アマンダの友だち思いを誉めました。このお母さんは、アマンダの思いやりの心に気づき、そこを誉めたのです。こんなお母さんのおかげで、アマンダは、自分にはそんないいところがあったのかと気づくことができました。そして、人を思いやることの大切さを学んだのです。

お子さんのどんな面を誉めたいと思うかは、もちろん親御さんによってそれぞれ違うことでしょう。しかし、子どものどこを誉めるかによって、子どもの人格と価値観の形成に大きな影響力を及ぼすことになるのです。それを忘れないでいただければと思うのです。

家庭生活のルールを教える

どのような家庭にも、日常の家庭生活をスムーズに送るための約束事があります。それは、たとえば食事の時間、部屋の整理整頓の仕方、就寝の時間といったようなことです。このようなルールがなければ家族はばらばらになり、日常生活に支障をきたしてしまうでしょう。

車に乗るときはシートベルトを締める、ローラーブレードをするときには肘当てと膝当てをする、寒い日には帽子を被《かぶ》る。このような約束事は子どもの安全に関わることで、親子で話し合って決めるという類のものではありません。一方、食事が終わったらすぐに食器を片づける、外に行く前にはおもちゃを片づける、テレビは宿題が終わってから見る。このような約束事は、日常生活を効率よくきちんと送るためのものです。このようなルールについては、親が一方的に子どもに押しつけるのではなく、子どもの考えや要望を取り入れて決めていくものです。そうすれば、子どもはより協力的になります。そして、自分がルールを破ったときも素直に認めるようになるのです。

家庭内にルールがあるおかげで、子どもの生活にも秩序が与えられ、心の安定も得られます。それは、たとえ両親が離婚した場合でも同じです。今までのルールが壊れ、子どもがそれぞれの家庭のルールに新たに従わなくてはならなくなったとしても、やはり、きちんとルールがあったほうが、ずっと適応しやすいのです。子どもは、家庭内の暗黙のルールを理解し、解釈する力に長《た》けています。

たとえば、ビリーは、友だちにこう言いました。

「お母さんに聞いてみるよ。『さあ、どうかしらね』って言ったら、それはオーケーってことなんだ。『お父さんに聞いてみましょうね』って言ったら、それはダメってことなんだ」

子どもは、家庭生活の様々な場面で、親に同意を求めます。時には、ルールの確認だけをする場合もあります。

勝手口からアーティの叫ぶ声が聞こえました。

「ママ！　お隣の子犬、見に行ってもいいでしょ」

そして、扉のバタンと閉まる音が聞こえました。アーティは、こうして、行き先をお母さんに伝えるというルールを守ったのです。

家庭内のルールをめぐって、親子間で話し合いが必要になることもあります。

ある土曜の午後、十一歳のマリアンヌは、友だちに映画に誘われました。でも、この一週間、マリアンヌは部屋を散らかし放題でした。部屋を自分で片づけるという約束を守っていなかったのです。けれど、もう部屋を片づける時間はありません。それでも、マリアンヌはどうしても友だちと映画に行きたいのです。

お母さんは、マリアンヌと話し合うことにしました。そして、こう決めました。今回は映画に行ってもいい、けれども、その前にまず、今から十五分間で部屋の片づけをし、映画から帰ってきたら、残りの片づけをする。

今回は映画に行くお許しが出ましたが、マリアンヌは、これで、「やらねばならないことはためないほうがいい」ということが、骨身にしみて分かったはずです。

約束事はきちんと守る——幼い頃から身につけたこのような習慣は、子どもが難しい思春期に入ってからは特にものを言います。十代の子が、「学校の帰りに、友だちと遊びに行くから、遅くなる」と言ったら、誰と、どこへ行くのか、「遅くなる」とは何時になるのか、そんなことを親は確認しなくてはなりません。そして、子どもと無理のない約束をし、その約束をきちんと守らせるのです。

子どもが親の同意を得ようと何か言ってきたら、できるだけソフトな態度で受けることが大切です。「言ってくれてよかった」という態度を示せば、子どもの態度も柔らかくなり、親の意見を聞いてから決めようという気になります。過保護にならずに、子どもの自立心を伸ばしてあげてほしいのです。それを心に留めていれば、子どもにも親の気持ちが伝わり、親を煙たがらなくなるものです。難しい十代の子どもであっても、子どもは、親を悲しませることは、できるだけしたくはないと思っているものなのです。

家庭内のルールを守る習慣がついていれば、子どもは学校や職場の集団生活でも、より順応性を示します。家庭内でルールを守らせるということは、子どもが社会の一員として生きてゆく上で、とても大切なことです。ルールや約束事というのは、人々の行動をスムーズにし、身の安全のために欠かせないものです。相手の同意がなければ、物事はうまくはいかないのです。わたしたちの社会生活のうえでは、ルールや約束事を守ることはぜひとも必要なことです。それを家庭で、日頃から子どもに教えてゆければと思います。

十代の子どもたちのモラル

子どもは、親に自分のどのような面が認められ、どのような面が認められないかという経験を通して、親が何を良しとし、何を悪いと考えているかを学びます。つまり、親の価値判断の基準を学ぶのです。はっきり言葉で言わなくても、子どもは親の考えを察します。だからといって、子どもがいつも親の価値観に従うかといえば、そんなことはありません。子どもは成長するにつれ、自分なりのモラルや価値観を持つようになります。親は、そんな子どもなりのモラルや価値観を尊重するよう心がけたいものです。子どもが自分なりに真剣に考え、人に対して誠実であろうとしているのなら、子どものやり方を認めるべきだと思うのです。たとえ親として多少の不満があったとしても、子どもが自分で判断できたことを喜んであげたいものです。

子どもが十代になると、生活の中心は友だちに移ります。親は四六時中子どもを監視できるわけではありませんし、無理に言うことをきかせることもできません。だからこそ親は、子どもに対して日頃から、何が正しく何が間違っているか、きっぱりした態度を取らなくてはならないのです。なぜなら、親から教えられたモラルの基盤がなければ、子どもは、十代になっても、自分自身で正邪の判断を下すことができなくなってしまうからです。

この意味でも、親自身の日頃の生活態度はとても大切です。たとえば、嘘をつくことは悪いことだと子どもを罰したとしても、親自身がいつも嘘をつくとしたら、子どもはどう思うでしょうか？　子どもに正直であってほしいと願うなら、たとえそれが骨の折れることであったとしても、わたしたち親自身が正直でなくてはならないのです。

子どもを、他人の意見や行動に左右されない、自尊心を持った人間に育てたいと、親なら願うことでしょう。自分自身で正邪の判断を下し、誘惑に負けない子に育ってほしいと願うはずです。

十二歳のブルースは、近所の食料品店によく買物に行きます。お母さんのお使いのときもあれば、自分でお菓子やジュースを買いに行くときもあります。実は、他の子どもたちは、時々この店で万引きをしていました。ぼうっとしている店員さんがお店の番をしているときは、絶好のチャンスでした。

ある日、店に入ったブルースは、どうしてもお菓子が欲しくなりました。でも、お母さんに頼まれた牛乳と卵のお金しか持っていません。ブルースは迷いました。店番をしているのは、例のぼうっとしている店員さんです。おまけに雑誌を読み耽《ふけ》っています……。

けれど、ブルースは、万引きはしませんでした。万引きをしたら両親にひどく叱られることはわかっていました。それから、隠しとおすこともできるということも知っていました。ブルースが万引きをしなかったのは、親に叱られるからではなかったのです。もう十二歳のブルースには、道徳観念が育っていたのです。万引きをするなんて、そんな自分は許せなかったのです。ブルースには、自分を信じる心（自尊心）が健全に育っていたので、万引きの誘惑に負けることはありませんでした。

子どもが悪い誘惑に打ち勝つことができるのは、親に叱られるからではありません。自分の自尊心が許せないことはできないからです。子どもの自尊心を育てることの大切さは、ここにもあります。自尊心があるということは、自分が自分を好きであるという肯定的な自己像を持っているということです。また、それだけではなく、自尊心とは、自分にはそんな悪いことはできないという道徳律に関わることでもあるのです。

自分を好きになることの大切さ

自分を好きになることはとても大切なことです。自分のことが好きな子というのは、わがままな子とは違います。自分のことが好きで心が満たされている子は、人にも親切です。また、将来自分が親になったときも、同じような明るい子を育てることができる可能性が高いものです。

五歳のローレルは、おばあちゃんとお姫さまごっこをしていました。ローレルがドレスを着て踊りながら出てくるたびに、おばあちゃんは手を叩いて誉めました。

「お姫さまは、これからどこへ行くんですか」

ローレルは、お母さんのハイヒールをはいたよろける足でポーズを作りながら言いました。

「舞踏会へ行くの」

「王子さまは、ローレルを好きになってくれるかしらね」

ローレルは、眉間に皺をよせて考えました。でも、あっさりと「たぶんね」。そして、両手で自分の肩を抱きしめ、笑い転げながらおばあちゃんの膝に飛び込んできました。ローレルにとって、王子さまのことは、どうでもいいのです。お姫さまになっている自分が大好きで、それだけで幸せいっぱいなのですから。笑い転げるローレルに、おばあちゃんもつられて笑い出し、なんて明るい子なんだろうと嬉しくなりました。

子どものどのような面を認めるかによって、親は子どもに自分の価値観を示しているのです。親の価値観を基盤にして、子どもは自分自身の価値観を形成してゆきます。親は、子どもに過剰な期待をせず、きっぱりとした、しかし柔軟な態度で接することが大切です。そんな親に育てられた子どもは、親に愛されているという自覚を持って、のびのび育ち、健全な自尊心を形成することができるのです。

見つめてあげれば、子どもは、頑張り屋になる

みなさんは、今までに、たとえば目覚まし時計や洗面所の鏡や部屋の扉などに、何かメモを貼りつけておいたことはありませんか。そして、すぐに見慣れてしまって、もうその存在にすら気づかなくなってしまったことはないでしょうか。たとえば、冷蔵庫のドアに「太りすぎ、注意！」と貼っておいて、まったく効き目がなかったことはないでしょうか。いつも見慣れているものには、わたしたちは注意を払わなくなってしまうのです。

あなたのお子さんに対しても同じことが言えるのではないでしょうか。子どもの存在があまりにも当たり前のものになり、なんとも思わなくなってしまうのです。わたしたちは、毎日、子どもを学校に送り出し、ご飯を食べさせ、身の周りの世話をしています。けれど、本

当に子どものことを見つめ、分かっているかといえば、さて、どうでしょうか。

もう一度、改めてあなたのお子さんを見つめてみてください。子どもは日々成長し、一日として同じではありません。赤ちゃんは、あっという間によちよち歩きを始めます。お兄ちゃんは、小学校に上がったと思ったら、もう卒業です。お父さんやお母さんは、そんな子どもの成長を、いちばん身近な存在として毎日目にしています。にもかかわらず（むしろ、だからこそ）、子どもの成長のひとこまひとこまに目をとめることなく過ごしてしまうことがあるのです。ときには、立ち止まって、子どもの姿を見つめなおしてほしいのです。

その気になれば、すぐにできることです。親の視線は子どもに伝わります。子どもは喜んで、やる気を出すことでしょう。

ある秋の日の午後のことです。公園を散歩していた四歳のエリザベスは、お母さんの袖口を引っぱって言いました。

「あっちに行って、大きな葉っぱを拾ってもいい？」

「もうたくさん拾ったじゃない。それに、あそこの葉っぱは濡れているわ」

お母さんは答えました。

「だって、あっちのは、まだ拾ってないんだもん。エリザベスのコレクションには、いるんだもの」

エリザベスは真剣です。

お母さんは、驚いて娘の顔を見ました。落葉を拾っているのには気づいていました。でも、落葉を「集めて」いるんだなんて思ってもみなかったのです。それに、「コレクション」という言葉の意味を知っていたことにも驚きました。お母さんは立ち止まり、エリザベスの手のなかの落葉をしみじみ見つめました。こんなにお利口になって……。そして、樫《かし》の樹のほうへ走っていくエリザベスの後ろ姿を目を細めて見送りました。二人は、それから、樹の名前や葉の色や大きさについて楽しくおしゃべりをしながら家路をたどりました。

子どもを見つめ、話に耳を傾ければ、子どもの心が理解できます。子どもが何をどのようにしたいと考えているのかがよく分かることでしょう。それが分かれば、親は、子どもに手を差し伸べることができるのです。

目標をたてることの大切さ

赤ちゃんがはいはいし、初めておもちゃに手を伸ばし、摑《つか》み取る瞬間は、人間が目標に向かってゆく行為のはじまりです。親は、そんな赤ちゃんの姿を見つめ、手を叩いて「よくできたね」と誉めることでしょう。

何かをやり遂げるには、目標を決めて努力を重ねなくてはなりません。それを、幼い頃から子どもに教えてゆければ、と思います。そして、子どもが実現可能な目標をたてることができるように、具体的なアドバイスや手助けをしたいものです。子どもを励まし、支えることを忘れてはなりません。

上手に目標をたてるためには、まず、本人が何をしたいのかをはっきりさせることです。次に、そのためには何をしたらいいのかを具体的に考えてゆきます。親は、子どもの話をよく聞いて、一緒に考えてください。実際に行動に移す段になったときには、AをすればBという成果が上がり、その結果Cになるという、物事を一つひとつ積み重ねてゆくことの大切さを教えてほしいと思います。

これは当たり前のことのように聞こえるかもしれません。が、わたしたちは、大人でも、案外きちんと考えずに何かを始めて失敗することがあります。そして、結局うまくゆかずに途中で投げ出してしまうのです。きちんと目標をたて、計画的に物事をやり遂げる態度をわたしたち親自身が示し、子どもの手本になれればと思います。それは、たとえば壁にペンキを塗る、庭に木を植える、キルトを縫うといった日常的なちょっとした場面でも示すことができます。子どもは親のやり方をよく見ているものなのです。

「旅は、その第一歩を踏み出すことが大事」という諺があります。子どもが目標をきめて頑張っているときには、まさにこの諺が当てはまります。子どもが踏み出した第一歩に気づき、評価してほしいのです。

五歳のジャクリーンは両親のベッドのベッドメーキングをして、二人を驚かせたいと思いました。ベッドの周りを行ったり来たりして、なんとか上手にできあがりました。お母さんとお父さんは「よくできたね。助かったわ」とお礼を言いました。ジャクリーンは嬉しそうに飛び跳ねながら部屋を出ていきました。そこでお父さんは、ベッドカバーの皺を伸ばそうとしました。

「触っちゃだめ！」

お母さんは、笑いながら止めました。

「せっかくジャクリーンがやったんだから、そのままにしておかなくちゃ。あの子のためにね」

「そうだね」

お父さんも気がつきました。ベッドの皺を伸ばすことよりも、娘のしたことを喜ぶことのほうがずっと大切なのです。

積み重ねの大切さ

努力をすれば成果が上がるということを、幼い頃から理解できている子どももいます。たとえば、ピアノにしろ運動にしろ、練習すればするほど上手になる、ということが分かっているのです。一方、そうではない子もいます。そのような子は、何かが上手な友だちに心からびっくりしてこう尋ねることでしょう。「すごい！　どうしてそんなことができちゃうの？」。友だちが陰で努力しているなんて思いもよらないのです。親はそういう子にこそ手本を示して、何事も一つひとつの積み重ねが大切なのだということを教えなくてはなりません。

エリザベスとクララは十二歳。二人ともフィールドホッケーの合宿に行くことになっていました。二週間にわたるハードな合宿です。クララは一ヵ月前から毎朝トレーニングを始めて、五キロも走れるようになりました。一方、エリザベスは、実際に合宿に行けばなんとかなると高《たか》を括《くく》って何もしませんでした。

お母さんは、そんなエリザベスが心配でした。しかし、エリザベスは、親に何か言われるのが大嫌いな性格です。それで、お母さんは、うるさい事は一言も言わず、代わりに合宿についていろいろ尋ねてみました。エリザベスの自覚を促そうとしたのです。

「一日に何時間フィールドホッケーをするの？」

「コーチからは、合宿のためにどんな準備をしておきなさいって言われたの？」

このお母さんは、「トレーニングしなさい」とは決して言いませんでした。高圧的な態度も取りませんでした。お母さんは、エリザベスが自ら準備をしなければと思うようにしたのです。こうして、お母さんと話をしているうちに、エリザベスは、トレーニングを始めようという気持になったのでした。

お小遣いの大切さ

子どもが、お小遣いをもらって初めて気づくことがあります。それは、物の値段や貯金の大切さといった「お金の価値」です。子どもは、お小遣いをもらうことによって、お金の使い方を自分で考えるようになるのです。たとえば、お菓子を買いたいところを、じっと我慢して少しずつ貯めていけば、いつかコンピューターゲームやお人形や自転車など、もっと高価で本当に欲しいものが買えるようになる――そんなことが分かるようになります。また、欲しいものを自分で選んで買うようになり、自立心も育ちます。たとえば、テレビゲームが欲しいけれど、親には買ってもらえないとしたら、子どもはどうすると思われますか。お金を貯めるということを学んだ子どもならば、きっとお小遣いを貯めて買うに違いありません。これなら、欲しいものをめぐって親と喧嘩をしなくてもすみます。

どのようにお小遣いを与えるかは、家庭によって様々でしょう。家事の手伝いをしたらお小遣いを与えることにしている家庭もあれば、普段から一定のお小遣いを与え、特別な手伝いをしたらボーナスを与えることにしている家庭もあるでしょう。

わたし自身は、お小遣いは、食事の後片づけや掃除やペットの面倒をみることなど、家庭生活の基本的な仕事に対する見返りとして与えるべきではないと考えています。こういう仕事は、家族の一員として当然協力すべき事柄だからです。わたしは、お小遣いとは、子どもも家族の大切な一員として認めるという意味で、家の収入の一部を子どもに与えるものであると考えています。

十二歳のサムは、この春、スケートボードが買いたくて、冬の間ずっとお小遣いを貯めていました。両親は、スケートボードは贅沢品だと思っていました。そこで、サムに自分で買わせることにしたのです。サムも文句はありませんでした。けれど、四月になった今でも、まだ二十ドル足りません。サムは気が気ではありませんでした。そんなサムにお父さんは言いました。

「ずっとお金を貯めて、えらかったよ。足りない分は、何かアルバイトをして稼いだらどうだい」

「でも、まだ、芝刈りには早いでしょう？」

サムは残念そうに言いました。

「うん、そうだね。でも洗車にはもってこいの季節になってきたよ。冬の間の埃《ほこり》をきれいに洗ってあげたら、ご近所のみんなもきっと喜ぶんじゃないかな」

お父さんはいいことを言ってくれました。サムの表情はぱっと明るくなり、こう叫びました。

「そうだね。春が来たんだから、車もピカピカにしなくちゃね!」

サムは近所を回って、六台も車を洗いました。弟も助手に雇いました。

サムのお父さんは、息子が今までお小遣いを貯めてきた努力を買いたいと思いました。そこで、足りない分を稼ぐというアイデアを出したのです。サムは、こうして、貯金することとお金を稼ぐことの大切さを学ぶことができました。

子どもの夢を分かち合う

わたしたち親は、日頃から、子どもの努力を認め、うまくゆかない時には励ましてあげなくてはなりません。そうしてこそ、子どもは、夢に向かって頑張る子に成長できるのです。子どもと夢をわかちあうチャンスは、ちょっと気をつけていれば、いくらでも見つかるものです。

ある日の午後、わたしの家の玄関のチャイムが鳴りました。扉を開けてみると、四人の子どもがニコニコして立っていました。それは、近所の八歳の女の子とその子の友だちでした。四人とも、色とりどりの編み紐《ひも》の先に紙粘土の玉とビーズがぶら下ったものを手にしています。

「わたしたちが作ったの。一ついかがですか。たった五十セントです」

子どもたちは言いました。その熱意に負けて、わたしは二つ買いました。

それは、今、食堂のガラス戸越しに揺れています。ビーズに朝日が差して、キラキラ光っています。でも、これは一体なんなのでしょう……。わたしは、あの小さな売り子さんたちを応援したくて、これを買いました。そして、今、このビーズの飾り物（？）を見ていると、心が和み、思わず微笑んでしまうのです。

分かち合うことを教えれば、子どもは、思いやりを学ぶ

わたしたちの家庭生活は、家族が分かち合うことによって成り立っています。それぞれの時間やスペースやエネルギーを家族のほかの者たちと分かち合うのです。

幼い子どもたちは、家族のなかで助け合い、協力する経験をとおして分かち合う心を学んでゆきます。たとえば、一つのお風呂を家族はどのように使っているか。おもちゃは、兄弟でどんなふうに分け合っているか。一台の車を家族でどんなふうに使っているか。かぎられた収入源で、家族はどのように助け合って暮らしているか。子どもは一つひとつ学んでゆくのです。

親自身が、人に対して、また子どもに対して分かち合う心を持って接すれば、子どもはそ

の親の姿から学ぶものです。分かち合う心は、言葉で教えるのではなく、親が態度で示すことが大切なのです。

親が厳しく叱りつければ、子どもは言うことをきくかもしれません。しかし、それでは、本当の意味で分かち合う心を教えたことにはならないのです。

分かち合いは赤ちゃん時代から

わが子がわがままな子だと人から悪く言われたくないために、親御さんによっては、子どもを厳しくしつけようとすることがあります。けれども、子どもには、歳相応の発達段階があるのです。幼い子どもが、他人の気持ちを思いやることができるようになるまでには、時間がかかります。他人の気持ちを思いやることは、子どもが成長の全過程をとおして少しずつ学んでいく能力なのです。

赤ちゃんにとって、両親を初めとするこの世のすべては自分の延長です。赤ちゃんには実際、まだ自分と親との区別もつかないのです。自分と母親とを別個の存在として認識できることが、成長の第一歩と言えます。

幼い子どもも、赤ちゃんと五十歩百歩の状態です。幼い子どもは、自分の欲求をその場ですぐに満たそうとするものです。これは、世界中の幼児に共通のことです。どうして自分の子どもだけがこうなんだ、と悩む必要はありません。親の役目は、わがままを言う子どもに、少しずつ分かち合う心を教えてゆくことなのです。

分かち合う心は、なるべく身近なものを使って教えるといいでしょう。子どもがよちよち歩きを始めた頃から、何かを分け与えて見せるのです。

たとえば、

「人参をみんなで分けましょうね。これが、あなたの分。これは、お母さんの分」

あるいは、

「お母さんにクッキー一つ、お父さんにも一つ。あなたにも、はい、一つ」。こんなふうに言ってみるのもいいでしょう。

もう少し大きくなった子どもは、このような初歩的な分配を卒業します。自分が取る前に人に配ってあげたり、順番を待ったりできるようになるのです。

幼い子どもがまず覚える遊びの形は、遊び相手と横並びになる形です。これを心理学者は「平行遊び」と呼んでいます。子どもは、相手がいることで楽しいとは感じているのですが、二人の間にあまり交流はありません。だいたい二歳半ぐらいになると、本当の意味で二人で遊ぶことができるようになります。これは、子どもが社会性を身につけ始めた大きな証拠です。この時点で、子どもは他人と何かを分かち合うことを学び始めるのです。

二歳半のトマスが、木製のトラック何台かで遊んでいました。すると、同い歳のデーヴィッドがやって来て、一台つかみ取りました。すかさずトマスは奪い返します。たいていは、ここで大人が、仲良くしなさいと割って入ってしまいます。けれども、本当は、このまま放っておいたほうがよいのです。

デーヴィッドにトラックを貸してあげなければ、トマスは、もうデーヴィッドと一緒に遊ぶことはできません。一人ぼっちになったトマスには、だんだんそれが分かってきます。そうしたら、親は、そんなトマスに、「デーヴィッドを誘ってみたら」と言ってみるのです。でも、トマスにその気がないようだったら、それ以上何も言わずに放っておくべきです。デーヴィッドには、

「もう少ししたら、トマスはいっしょに遊びたいと言ってくるわよ」

と話して、他の玩具を貸してあげるのです。おもちゃを一緒に使って仲良く遊ぶことを教えるのは大切なことです。しかし、それを子どもに押しつけるのはよくありません。子どもの気持ちを尊重し、自分から一緒に遊びたいという気持ちになるまでそっとしておいたほうがよいのです。

子どもは、興味がわけば、一緒に遊びたくなるものです。トマスに肘鉄《ひじてつ》を食らったデーヴィッドは、動物をたくさん乗せられるノアの方舟のおもちゃで遊び始めました。

そんなデーヴィッドを、トマスはちらちら横目で見ています。方舟で遊んでいるデーヴィッドは、とても楽しそうです。トマスは、自分もそのおもちゃで一緒に遊びたくなりました。とうとう自分のトラックを何台かつかんで、デーヴィッドのほうへ行きました。そして、トラックを一台差し出しながら、こう言いました。

「方舟に乗せたら」

一方、デーヴィッドは、

「トラックに乗せたら」

と、シマウマの親子を差し出しました。一人で遊ぶより、二人で遊んだほうが楽しいということが、この二人の子どもには分かったのです。

わたしたち親は、子どもに、本当の意味での分かち合う心を教えたいと思うものです。けれど、子どもの良心だけに頼ることはできません。自分が損をしているという気持ちになってしまったら、分かち合う心は生まれないものです。親は、子どもをそんな気持ちにさせないように、その時々で工夫しなくてはなりません。

四歳のアンディが、仲良しのジェフの家へ遊びに行ったときのことです。おもちゃがあふれた部屋の一隅にジェフはイーゼルを立てて、真っ白な画用紙を広げました。アンディは近寄って言いました。

「ぼくも、お絵描きがしたい」

ジェフは、すかさず絵筆をつかみ取りました。それを見ていたジェフのお母さんは、このままでは喧嘩になると思いました。そこで、ほかの絵筆とひとまわり大きな画用紙とを持ってきました。

「ほら、これを使ったら。これで、いっしょに描けるでしょう」

ジェフもアンディも大喜びです。二人でなら、もっと大きな紙に、ずっとたくさん描けるのです。お母さんのおかげで、二人は、一緒に仲良く遊ぶほうが楽しいということに気づきました。

ほとんどの幼い子どもは、幼稚園に入る前から、所有と貸し借りの観念を身につけてゆきます。自分の物を貸したり人の物を借りたりするとはどういうことであるかが分かるようになるのです。

「これは自分のもの、あれは人のもの。そして、あれはみんなのもの」

こんな所有と非所有の観念が理解できるようになるのです。

「これは、あたしのよ！」「だめ、触らないで！」

子どもはよくこんな叫び声をあげることがありますね。そんなとき、子どもたちは、物を貸したり借りたりするとはどのようなことかを学んでいるのです。

子どもにも他人には絶対貸したくない物があります。それを、親は分かってあげなくてはなりません。たとえば、テディベアやお気に入りのタオルなどは、安心感や心地よさや慰めなどの特別な心理的意味を持つことがあります。それを手にしていれば、子どもは、お母さんの膝の上にいるような安心感を覚えるのです。そういった子どもの大切な宝物を、家族の者は粗末に扱ってはなりません。それをほかの子に貸すように仕向けるのもよくないことです。また、もう大きいんだからとそれを取り上げたり、躾に利用したりするのもいけません。もし、兄弟姉妹や友だちに取られてしまったら、親が取り返してあげるべきです。それを取った子どもに、親は説明しなくてはなりません。これは持ち主の子にとってとても大切なもので、貸し借りはできないのだ、と。

子どもの宝物である「ねんねタオル」や「くまちゃん」が、人手にわたるとしたら、それは洗濯のときだけでしょう。大学生になっても、あるいは一生手放さないケースもけっこう多いものなのです。

「赤ちゃんを返してきて」

妹や弟が生まれると、上の子は、親の愛情をその子と分け合わなくてはならなくなります。上の子は、お母さんを奪われてしまったと感じるかもしれません。けれども、そう思うのも無理のないことです。実際、親は、今までかけていた時間とエネルギーとを二人の子どもに分配しなくてはならなくなるのですから。三人目の妹や弟の誕生には、子どももう慣れていますから、二番目のときよりは適応しやすくなっているものですが――。

最初、四歳のダリルは、弟が生まれるのがとても楽しみでした。早くお兄ちゃんになりたくてわくわくしていました。けれども、実際に弟が家族の一員になってみると、がっかりすることばかりなのです。

「ママは、もうぼくと遊んでくれなくなっちゃった」

ダリルはお母さんに言いました。

「そうね、ダリル」

お母さんはため息をつきました。疲れていたのです。

「赤ちゃんが生まれたんだから、しかたないのよ。赤ちゃんがおねんねしたら、いっしょに遊びましょうね」

そうは言っても、育児で疲れているお母さんは本当は昼寝をしたかったのです。

ダリルの両親は、弟が生まれる前に、ダリルにいろいろと言ってきかせてはいました。ダリルとだけ過ごす時間を作るようにもしています。親戚や友人たちもダリルの気持ちを察して、なるべく一緒に遊ぶようにしています。これでダリルはずいぶん慰められました。そうは言っても、今までは一人っ子として愛情を一身に集めていたのです。それが、手のかかる赤ちゃんに奪われてしまった、この状態は、ちっとも変わりません。大人なら、しかたがないと思えます。けれど、まだ幼いダリルにとっては、途方もなく理不尽なことに感じられるのです。こんなとき、子どもは、「赤ちゃんを返してきて」と言ったりします。とてもさみしいのでしょうね。もちろんそんなことはできるはずがありません。しかし、そんな子どもの話にはよく耳を傾けてください。子どもの気持ちを受け止め、その子とだけ過ごす時間を少しでも多く作るように工夫することが、何よりも大切なのです。

子どもと過ごす時間

ほんとうの意味での分かち合いとは、与える行為であり、見返りを期待しない心です。その人のことを思って、その人が必要なものを与えることなのです。そんな時、わたしたちは、多少の犠牲をはらったとしても、損をしたとは思いません。なぜなら、与えることによって、わたしたちは本質的に得ているからなのです。

子どもを育てることは、まさに「与える行為」そのものです。親が子どもに与えるのは、子どもが親を必要としている存在だからです。自分のことを犠牲にしても、親は、まず子どものことを考えます。もし、親が、子どもから見返りを期待したら、必ず裏切られたと感じることでしょう。親が子どもを思う気持ちは、子どもが生まれた瞬間から感じる愛情ゆえのものです。それは決して見返りを期待してのものではありません。

わたしたち親が子どもに与えられる一番のことは、子どものそばにいてあげることです。一緒にいてあげることが、子どもにはとても大事なことなのです。けれども、それは、そんなに簡単なことではありません。わたしたちはついつい日々の忙しさに追われてしまいます。仕事や家事や夫婦生活や育児の狭間で、「ああ、時間がない」と嘆くものです。シングルペアレント（片親）の場合の忙しさは、もっと深刻です。

離婚したあるお父さんは、これからは十一歳の息子と一緒に過ごす時間を作ろうと思いました。

「おまえとお父さんだけになれる時間を作って、何かしよう」

息子は怪訝《けげん》そうな顔をしました。疑うような眼でお父さんを見ると、冷たく言いました。

「それ、いったいどういうこと？」

失ってしまった時間を取り戻すことはできません。今ある時間を大切にしなければ、何も生まれはしないでしょう。自分にとって何がいちばん大切なのか、わたしたち親はよく考えてみなくてはなりません。

「今は仕事が忙しいからしかたない。仕事が一段落したら、家族と過ごす時間を作るようにしょう」

そんなふうに自分をごまかすことはできます。しかし、子どもをごまかすことはできません。「親はなくとも子は育つ」というのは、ある意味で真実です。たとえば、子どもが大きくなってから、親が、さあ時間ができたと、子どもに向かい合おうとしても、子どもは、もうそんな親を必要とはしなくなっているものです。子どものために時間を作るなら、子どもが小さいころからそうしなくてはならないのです。これは、決して簡単なことではありません。わたしたちは、経済的な理由や出世へのプレッシャーから、ついつい仕事を優先させてしまいます。けれど、子どもはあっという間に大きくなります。一日一日と先のばしにしていたら、手遅れになってしまうのです。

親のほうは、自分は十分子どもと過ごしていると思っていても、子どものほうはそうは感じていない場合もあります。

フランクのお母さんは、教会の児童グループのボランティアとして活躍していました。当時、フランクもこのグループに入っていました。フランクは、そんなお母さんが自慢でした。けれど、フランクがフットボールクラブに入ってから、お母さんとの仲がしっくりいかなくなったのです。フットボールの試合を見に来てほしいのに、お母さんは相変わらず教会の活動に行ってしまうからです。責任感の強いお母さんは、活動を辞められません。それよりももっと大切なことがあるというのに。

「ビリーのお母さんだって見に来てたんだぜ」

フランクは沈んだ声で言いました。

「ビリーは、補欠なのに」

教会の活動をしているかぎり、お母さんはフランクの試合を見に行くことはできません。フランクは、今の自分をお母さんに見てほしいのです。

わたしたちに与えられた時間とエネルギーはかぎられています。親は、日々成長してゆく子どもに合わせて、ライフスタイルを変えてゆかなくてはなりません。子どもの生活に合わせられる柔軟性が必要です。子どもと歩調を合わせ、子どもが小さいときだけでなく、大きくなってからも、そばにいてあげたいと思うのです。

充実した数分は、どうでもいい一時間より価値がある

子どものそばにいてあげることは大切なことです。けれども、ただ一緒にいればいいかといえば、もちろんそんなことはありません。いやいやながらしかたなくやっているという態度を示せば、子どもにもそれが伝わります。

学校の朝礼で詩の朗読をすることになった九歳のジュリアは、練習するのをお母さんに見てもらいたいと思いました。

「いいわよ」

お母さんは、二つ返事で答えました。

「でも、早くしてね。電話をかけなくちゃならないんだから」

ジュリアは、急《せ》き立てられているような気分になりました。そして、だんだん気持ちが沈んできました。ジュリアはこう思ったのです。お母さんはわたしの詩の朗読なんてどうでもいいんだ。電話をかけることの方が大切なんだ……。

親が喜んで子どもと時間を過ごせば、子どもにはそれが伝わります。一日のうちたとえ数分でも、その子にだけ注意を集中させる時間を必ず作りましょう。そんな親との一時は、子どもにはかけがえのないものなのです。

困っている人を助ける心

困っている人の役に立ちたいと思えるようになれば、子どもは、分かち合いの心をずいぶん学んだことになります。子どもには、学校や教会が主催するサンクスギビングやクリスマスのバザーに参加するチャンスがあります。困っている子どもたちに、自分のおもちゃや食べ物を寄付することの意味が分かると、子どもは、よろこんでバザーに参加します。こういう機会を活用して、分かち合いの心を教えたいものです。

子どもは、進んで自分から積極的に何かをしようという気持になります。親御さんは面倒がらずに、そんな子どもに手を貸してあげてほしいのです。貧しい人々を助けるためにはどうしたらいいか、親に相談する子もいるでしょう。ボランティア活動をしたいと言い出す子、お金を寄付したいと言う子もいるでしょう。子どもには、大きなエネルギーがあるのです。

十一歳のある男の子は、古い毛布を収集し、その収益でホームレスの人々に食べ物と上着を買うことにしました。もちろん、大人も手助けをしました。しかし、このときの活動の中心的な担《にな》い手は、この男の子でした。その後も、この男の子は活動を続け、個人ボランティア活動の中心人物になりました。

与えることの喜び

家族が分かち合いの心を持っていれば、子どもは、与えることの大切さと喜びとを日々の暮らしのなかで学んでゆきます。そして十代になるころには、親への感謝の気持ちを持つようになります。

十五歳のセーディのお母さんは、夜中まで単語の勉強を見てあげました。次の日の朝、セーディからの置き手紙がありました。

「お母さん、おそくまで勉強を見てくれてありがとう」

こんな時ほど、わたしたち親が、子どもを持った幸福を感じるときはありません。今までの苦労が報われる思いがします。与える心の大切さを、子どもは学んでくれたのです。これから先の人生でも、この子は、ずっと学び続けることができるでしょう。

見返りを期待せず、愛情のしるしとして人に与えることのできる人――わが子がそんな人に育ってほしいと親は願います。時間やお金や労力を惜しまずに人を助けることのできる人間になってほしいと親なら願うのです。ところが、これはなかなかむずかしいことです。しかし、心の豊かささえあれば、分かち合う喜びを知る人生をおくることも、世の中に貢献《こうけん》することもできるのです。

親が正直であれば、子どもは、正直であることの大切さを知る

正直であることの大切さを教えるのは、おそらく、いちばん難しいことの一つだと思います。わたしたち親は、わが子が正直な人間に育ってほしいと願っています。しかし、そんな親自身が日頃一〇〇パーセント正直であるかといったら、そんなことはないからです。

どのような状況でどこまで正直になれるかは、とても複雑で個別的な問題だといえます。たとえば、わたしたちは、サンタクロースや虫歯の妖精の話など、罪のない物語を子どもに語って聞かせます。これも一種の嘘だと言われればそれまででしょう。子どもの年齢を偽って、飛行機や電車の料金を払わずに済ませる親御さんもいらっしゃるかもしれません。これも嘘をつく行為だと言われれば、たしかにその通りです。

わたしたちは、めんどうなときや時間がないとき、あるいは他人の感情を傷つけたくないときなどに、程度の差こそあれ、軽い嘘をつくことがよくあります。けれど、それはしかたのないことだとも言えます。正直であることが、必ずしもいつもよいことであるとはかぎらないからです。

正直であることは、大人にとってもこんなに難しいことです。ですから、子どもにとってはなおさらです。子どもは、きっとこう思うことでしょう。親は、正直なのは大切なことだと言っている。なのに、そんな親がよく嘘をつくし、自分が正直に何か言うと困った顔をすることがある。どうしたらいいんだろう……。

では、わたしたち親は、どのようにして、子どもに正直であることの大切さを教えたらいいのでしょうか。

あったことをありのままに伝えさせる

正直であるということは、つまり誠実であるということだと、わたしは思っています。このことを、まず子どもに教えてください。正直な人は、見た事、聞いた事をありのままに伝えることができます。自分の都合や願望で現実を歪《ゆが》めたり、否定したりはしないのです。つまり、正直な人は、自分の経験に対して誠実なのです。

しかし、子どもが大きくなってからは、本当のことを言わずにおく分別というものも教えてゆく必要があります。時と場合によっては、本当のことを言わずにおいた方がいいこともあるものです。ですから、それを見きわめる分別というものを、子どもに教えてください。また、嘘をつくつもりではなくとも、人は思い違いをして、事実とは異なったことを言ってしまう場合もあります。そのことも子どもに理解させたいものです。嘘がいけないのは、意図的に人を騙《だま》そうとするからです。しかし、騙そうという気持ちはなくとも、人は思い違いをして、事実ではないことを言ってしまうこともあるのです。

まず、子どもに教えてほしいことは、たとえ自分に都合の悪いことでも、事実をありのままに認識し、それから逃げない態度です。何が起こったのか、自分は何をしたのかを、ありのままに伝えさせるのです。事実と作り話との区別をはっきりさせなくてはなりません。相手の機嫌を取るために話を膨《ふく》らませたり、自分の都合のいいことだけを話したり、勝手に話をでっちあげたりさせないように気を配りたいものです。

よく嘘をつく子がいるとします。なぜ正直に、本当のことが言えないのでしょうか。それは、たいていの場合、本当のことを言ったら叱られると思うからなのです。ですから、たとえ悪いことをしたとしても、子どもが正直にそれを伝えたのなら、親は、その正直さを誉めてあげなくてはなりません。もちろん、たとえどんなにひどい事をしても、正直に伝えさえすればそれで済むというわけではありません。自分がやってしまったことの責任は、取らせなければなりません。そして、その上で正直に言うことの大切さを教えるのです。

大事なことは、頭ごなしに子どもを責めないことです。

「テニスのラケット、ゆうべ出しっぱなしだったけど、どうしてかしら?」

お母さんは九歳と十一歳の二人の娘に、こう問いかけました。二人は、しまった、という顔をして互いを見ました。

「あのね」。妹が口を切りました。

「バックパックとかといっしょに車から持ってきたんだけど、玄関のドアを開けようとして、下に置いちゃったんだと思う」

姉がそれを受けて言いました。

「あたしが持っていくって言ったんだけど、忘れちゃったの。もう家の中に入った後だったし」

お母さんは、そんなことだろうと思いました。ですから、ちょっとこわい顔をして言いました。

「こんどからは、ちゃんと持ってきなさいよ。外に出しっぱなしにしておくと、ラケットは傷《いた》んじゃうんだから」

お母さんは、一体誰がラケットを出しっぱなしにしたのか、その責任を追及しませんでした。〝犯人〟を見つけようとしたのではなく、どうしてラケットは出しっぱなしだったのかという事実を尋ねました。もし、誰がやったのかと責めていたら、姉妹は、互いに相手のせいにしようと思ったことでしょう。でも、このお母さんは、どうしてラケットが出しっぱなしになっていたのか、その前後関係を娘たちに尋ねたのです。それで、二人は、ありのままを伝えることができました。お母さんも納得しました。

小さな嘘でも見逃さない

子どもは、どこまで自分の嘘が通用するか、試しているようなところがあります。気をつけなくてはならないのは、そんな時の対応のしかたです。これは、なかなか微妙な事柄です。親としてきっぱりとした態度を取らなくてはならないのはもちろんですが、それが過剰になると逆効果です。なぜなら、子どもが怯《おび》え萎縮《いしゅく》してしまうからです。子どもを追い詰めたら、子どもは嘘をつくしか逃げ道がなくなってしまうのです。ここで大切なのは、子どもが嘘をついたときには、それを見逃さないようにすることです。そして、嘘をつくのはいけないことだと、きちんと理解させなくてはなりません。

四歳のエイリーンとお母さんは、幼稚園のバザーに出すクッキーを焼きました。その後、お母さんが机に向かって仕事をしていると、何か意味ありげに、エイリーンがやってきました。口の端にクッキーのかすがついています。

「エイリーン、お口にかすがついてるわよ。クッキー、つまみ食いした？」

エイリーンは首を横に振り、目を見開いて言いました。

「してない」

お母さんは、「さて、困った」と思いました。

「ねえ、エイリーン」

お母さんは、やさしい声で言いました。

「お母さんに、本当のことを話してちょうだい。焼いたクッキーを、ちょっと食べちゃったんじゃないの？　お母さんは、怒らないから、だからね、お母さんに本当のことを教えてちょうだい」

「うん……。ちょっと、一枚だけ」

エイリーンは、そう答えると、爪を噛み始めました。

「一枚だけ？」

お母さんは尋ねます。

「ううん、二枚」

「本当に、二枚かな?」

金髪のお下げを上下に揺らし、エイリーンは大きく頷きました。

「そう。正直に言ってくれて、うれしいわ。本当のことを言うのは、とても大切なことだから」。お母さんは言いました。

「わかった。……でも、クッキー、もう一枚食べてもいい?」

エイリーンは言いました。

「今はだめよ」。お母さんは、言ってきかせました。

「もうすぐ夕ご飯だから。それに、あのクッキーはバザーのために焼いたのよ。だから、食べたかったら、今度からは、お母さんにちゃんと聞かなくちゃいけないのよ。いいわね」

「うん、わかった。……もう、遊びに行ってもいい?」

たとえ叱られるような事をしたとしても、それを正直に伝えるのは大切なことです。それをお母さんはエイリーンに教えようとしました。子どもが本当のことを言うまで辛抱《しんぼう》強く待ったのです。また、なぜ無断でクッキーを食べてはいけないのかという理由も、きちんと話してあげました。

もし、お母さんが、忙しさに紛《まぎ》れ、クッキーの一つや二つくらいと見過ごしてしまっていたらどうでしょう。エイリーンは、正直であることの大切さを教わる絶好の機会を逃してしまったことになります。また、もしお母さんが頭ごなしに叱りつけていたらどうでしょう。エイリーンは、こんどからはもっと上手に嘘をつこうと思ったに違いありません。この次からは、ばれないようにつまみ食いしようとも思ったかもしれません。

子どもを頭ごなしに叱りつけてはいけません。それでは、子どもは、叱られるから嘘はつかないというふうになってしまいます。正直であることは大切であり、正直な自分を親も喜んでくれるから嘘はつかない——子どもがそう思えることが大事なのです。

空想の物語

子どもは、罪のない架空の物語や空想を語るのが大好きです。それを、嘘をつくのは悪いことだと言って、叱りつけたくはないものです。子どもの豊かな想像力の芽を摘《つ》んでしまってはかわいそうです。想像力をかきたてる楽しい部分は、残してあげましょう。そのほうがかえって、本当のことを話すべき時と空想を楽しんでいい時との区別を、子どもは学びやすくなるものです。

その日、二歳のアンソニーのお母さんは大あわてでした。いくら探しても車のキーが見つかりません。もう約束の時間は迫っているのに……。

「どこへいっちゃったのかしら。おかしいわね。ないはずないんだけど」

すると、アンソニーが、深刻な声で言いました。

「怪獣が持ってっちゃったんだよ、ママ」

「そう……。怪獣が持ってっちゃったの……」。お母さんはアンソニーの言葉をくり返しました。

「その怪獣、キーをどこに置いたのかしら。アンソニー、知ってる？」

「おもちゃ箱のなか！」

アンソニーは、きゃっきゃと笑っています。

お母さんは、おもちゃ箱のなかをかき回して、キーを見つけだしました。そして、アンソニーに言いました。

「ほんとに怪獣がやったの？　アンソニーがやったんじゃないの？　怪獣って、アンソニーのことでしょ！」

アンソニーはくすくす笑っています。お母さんはそんなアンソニーを捕まえて、くすぐってやりました。

「いい？　怪獣のアンソニー」

お母さんは言いました。これからはアンソニーの手の届かないところにキーを置かなくてはと思いながら。

「キーは、遊ぶものじゃないのよ。なくなったら車の運転ができないんだからね。これからは、もうこんなことしちゃだめよ」

アンソニーはまだ二歳です。空想の世界が楽しくてしかたないのです。ですから、お母さんは、そんなアンソニーを頭ごなしに叱りつけることはしませんでした。

このように、本当のことを言うべき時と、空想を楽しんでいい時との区別をはっきりさせるのは大切なことです。けれども、子どもが考えだした楽しい物語を全部否定してしまうのはどんなものでしょうか。それは、酷《こく》なことだと思います。たとえばサンタクロースや虫歯の妖精の話を、幼い子どもは信じています。では親は、そんな子どもに対して、どのような態度を取ればいいのでしょうか。

「サンタクロースなんていない」

と、言い切ってしまうべきでしょうか。そんなことはありません。「サンタクロースって本当にいるの？」と子どもに尋ねられたら、その子の年齢に合わせて、夢を壊《こわ》さないように上手に教えたいものです。

クリスマスの買物に出かけた日のことです。お母さんとお父さんは、七歳のケビンを車に乗せていました。後ろの席から、ケビンがこう尋ねました。

「サンタクロースって本当にいるの？　ポールのお母さんは、サンタは北極に住んでるって言ったんだって。ジェーンのお父さんは、サンタはお空からやって来る人だって言ったんだってさ。でも、メリーのお姉ちゃんは、サンタなんて本当はいないって言うんだよ。ねえ、どうなの。サンタはほんとにいるの、いないの？」

お母さんは、一息おいて、考えてから答えました。

「ねえ、ケビン。この世の中には、わたしたち人間には分からないことがたくさんあるのよ。サンタクロースが本当にいたらいいなあと、お母さんも思うわ」

お母さんの話を身を乗り出して聞いていたケビンは、体を戻し、にこりと笑いました。七歳のケビンには、このお母さんの答えがいちばん納得できるものだったのです。ケビンは、まだサンタクロースを信じていたい年ごろです。お母さんは、そんなケビンの気持ちがよくわかりました。また、ケビンがサンタは本当にいるのかと尋ねるまでに成長したことも考え合わせました。それで、謎の部分を残したまま、このように答えたのでした。もっと大きくなってからケビンがこのお母さんの答えを思い出しても、きっと納得するに違いありません。

嘘も方便

人生には、これは嘘だ、これは本当のことだとはっきりさせられる場合と、させられない場合とがあるものです。幼い子どもも成長するにしたがって、家庭以外の世界を知るようになります。そして、物事はそんなに単純に白黒はっきりさせられるものではないのだということが分かってきます。

ある日、七歳のフランは怒って、お母さんにこう言いました。

「お母さんって、嘘つきよ。アンおばさんには、ご飯おいしかったって、日曜日に言ったのに、お父さんには、全然おいしくなかったたって言ったじゃない」

「そうね。そうだったわね」。お母さんは答えました。

「でも、それは、アンおばさんがせっかく作ってくれたご飯だったからなのよ。本当のことを言うよりも、アンおばさんの気持ちを考えることの方が、大切だと思ったからよ」

「そうなの」

フランは、しばらく考えていましたが、

「じゃ、嘘をついてもいいってこと？」

と、腑《ふ》に落ちない顔をしています。

お母さんは、きちんと答えなくてはいけないと思いました。

「正直に本当のことを言うのは、とても大切なことよ」

こう言うと、お母さんは言葉を選びながら説明しました。

「でも、正直に本当のことを言うよりも、相手の気持ちを考えてものを言うほうが大事な時もあるのよ。そういう時は、嘘をついてるってことにはならないの。それは、本当のことではないけれど、嘘ではないのよ」

フランはじっと聞いていました。でも、まだよく分からないようです。

「ねえ、フラン」。お母さんは、もう一度言いました。

「もし、お友だちのアンドレアが新しいお洋服を見せにきて、フランはそれがちっともいいとは思わなかったらどうする？　フランの嫌いな色だったとしたら、それをアンドレアに言う？」

「そんなことしたら、アンドレアがかわいそうよ」

「じゃ、なんて言ってあげる？」

「そうだな……いいんじゃない、とか」

フランは小さな声で言いました。

「そうね……」とだけお母さんは答えておきました。

「分かった！　そのお洋服のいいところを見つけて、それを誉めてあげる！」

フランは嬉しそうに大きな声で言いました。

「そう、そう」。お母さんは言いました。

「その服のいいところを誉めてあげるのよ。どこで買ったのって聞いてあげてもいいんじゃない。アンドレアが大好きな服なんだから、そのアンドレアの気持ちを考えてあげなくちゃ。それにね、みんながみんな同じものが好きってわけじゃないのよ。フランが嫌いな色でも、アンドレアは好きかもしれないのよ」

お母さんの話を聞いて、フランは、相手の気持ちを考えてものを言うことの大切さが納得できました。また、人はそれぞれ好みやものの見方が違うのだから、いつも自分が正しいとは限らないのだということも学ぶことができたのではないでしょうか。

もちろん、フランとこういう話をすることになったのは、お母さんがアンおばさんの料理をお父さんの前で批判したからでした。フランは、それを聞いて、ひどいと思ったのです。ですから、お母さんは、その償《つぐな》いをする意味でも、フランに対して誠実に答えなくてはならなかったと言えるでしょう。

親は子どもの手本

嘘をつかないことの大切さを、子どもは直接親の姿から学びます。親が何を言い、どんなことをするかを、子どもはいつも見ているのです。子どもが幼ければ幼いほど、親の影響力は大きくなります。

九歳のアリシアとお父さんは、レストランでお昼ご飯を食べ終わりました。二人が、レジで釣銭を多くもらってしまったことに気づいたのは、駐車場に出てからでした。

「アリシア、ちょっと待って。お釣りがまちがってるよ」

お父さんは、手のひらのお金を見せながら言いました。二人で暗算してみると、五ドルも多くもらっていました。

「行って、返してこよう」。お父さんは言いました。

アリシアは、ちょっとがっかりでした。五ドルももうかったのに……。でも、お父さんの言うとおりです。レジの人はとても喜びました。店をしめるとき、もし五ドル足りなかったら、この釣銭のミスは、自分が弁償することになっていただろうと言いました。店長が、このやりとりを脇で聞いていました。そして、お父さんに割引券をくれました。店を出たアリシアとお父さんは、とてもいい気分でした。

「アリシア、お金を返して、やっぱりよかっただろう？」

「結局、得したもんね」。アリシアは答えました。

「損得は関係ないんだよ」。お父さんは言いました。

「でもね、嘘をつかずに本当のことを言えば、思ってもみなかったようないい事があるものなんだよ」

子どもと心を通じ合わせる

親が子どもに対して正直であるのは大切なことです。しかし、何でも正直に話してしまってはよくない場合もあります。多少のフィクションを交えながら、その子の歳や成長に合った答えをするほうが大事なときもあるのです。もちろん、どうせ子どもなんだから分かりっこないだろうとたかをくくるのはよくありません。けれど、こんなケースはどうでしょうか。わたしの子育て教室で、赤ちゃんはどこから生まれてくるのかと尋ねた子どもに、あまりにもあからさまな説明をしてショックを与えてしまった親御さんがいました。これは考えものだとわたしは思います。

性と死について、どう子どもに教えたらいいかは、とても難しい問題です。大人同士でもなかなかフランクには話せない話題なのですから、まして、子ども相手ではなおさらです。子どもがどこまで理解できるかをよく考えましょう。また、わたしたちが語ったことが、子どもにどれほどの影響を与えてしまうかもよく考えなくてはなりません。まだ心の準備ができていない子どもに、セックスのことを教えたり、死について考えさせるのは、いたずらに不安に陥れ、恐怖心をかきたてるだけです。

子どもというものは、親の知らないところで、想像以上に性や死について見聞きしているものです。間違った知識や考え方を持ってしまっていることも少なくありません。子どもが性についてどこまで知っているか、まず子ども自身に尋ねてみるのもいいでしょう。そうすれば、子どもの状態がつかめ、どんな誤解をしているかも分かります。そのうえで、親は、その子に合った性教育を真剣にしてあげればいいのです。子ども向けに書かれた図解入りの性教育の本などを使うのもいいのではないでしょうか。

まだ早いだろうとお茶を濁《にご》しても、実は子どもはとっくに知っていることもあります。本当のことを教えないと、子どもはかえって混乱してしまうこともあるのです。子どもは、親の言うことを信じるものです。親の言うことと自分が日頃思ったり考えたりしていることが食い違っていたとしたらどうでしょうか。その場合、子どもは、親が正しく自分のほうが間違っていると思ってしまいます。事実に近い知識を持っていた子どもなら、「こんなことを考えているなんて、自分はなんて汚らしいんだろう」と、罪の意識を感じてしまうかもしれません。また、いつか本当のことが分かったとき、嘘をついていたのは親のほうだったと思うことでしょう。

思春期に入った子どもは、本当のことを知りたいと思い悩みます。この時期の子どもは、親や家族から離れた一人の人間として、「自分とは何者なのか」と問い始めるのです。同時に、子どもは体の変化を受け入れ、精神的にも一人の人間として生まれかわろうとしています。これはちょうど、赤ちゃんが初めて自分の手で物を摑《つか》み取ろうとする瞬間に似ています。思春期の子どもは、自分とは何者なのか、人生をいかに生きるべきなのかという問いへの答えを、懸命に探し求めているのです。

体の目まぐるしい変化に、心も揺れます。子どもは、親に相談できないと、友だちに悩みを打ち明けます。しかし、それでかえって不安が大きくなることも少なくありません。知識や情報は波のように押し寄せても、それをどう自分なりに位置付けたらいいのか分からないのです。もう親の膝に乗って甘えることはできません。だからといって、もう親を必要としていないかといったら、もちろんそんなことはありません。子どもは、親に反抗的だったり、親を無視する態度を取ったりするでしょう。けれども、思春期の子どもは、いちばん親を必要としているのです。

この時期ほど、親と子の関係が問われるときはありません。親は、子どもと新しい関係を作ってゆかなくてはならないのです。子どもは、何よりも親の支えを必要としています。親に悩みを聞いてもらい、一緒に真剣に考えてほしいと思っているのです。親は、性について、体の変化について、欲望について、子どもと真正面から語り合う覚悟が必要です。子どもにも自分にも正直に、誠実にならねばならないのです。

照れたり気取ったりしてはいけません。子どもが今後の人生で必要なことをきちんと教えなくてはならないのです。子どもを初めて幼稚園に、そして小学校に送り出した日と同じように、子どもを大人の世界へ送り出すのです。現代社会は危険でいっぱいです。酒や薬の誘惑は、すでに中学生から始まっています。性体験も低年齢化し、エイズなどの恐ろしい病気も他人ごとではありません。

わたしたち自身の思春期のころのことを思い出してみましょう。自分の親がどんな性教育をしてくれたか、あるいはしてくれなかったかを夫婦で話し合ってみるのもいいのではないでしょうか。親にあの時こんなふうに教えてもらっていたらよかったのに、と思うことはないでしょうか。当時友だちからどんなことを聞いたでしょうか。それを聞かされてどんな気持ちになったのかも思い出してみてください。あなたは、生理、夢精、勃起、マスターベーション、オーガズム、妊娠、避妊について両親から正しい知識を与えてもらったでしょうか。自分の体験を思い出してみると、わが子に何をどう教えたらいいかがおぼろげながら分かってくるはずです。

もし、子どもの質問に自信を持って答えられないと心配しているなら、本や雑誌を読んで勉強することをお勧めします。子どもに正しい性教育を与えることは、親の義務なのです。もちろん、いちばん大切なのは、子どもを思う気持ちです。子どもに安心感を与えることです。このことを忘れないでください。

正直は一生の宝

正直であり、誠実であることは、一生の宝です。子どもは成長してからも、友だちや同僚や自分の家族との関わりをとおして、その大切さを理解していきます。そして、自分に嘘をつかず、誠実であることによって、心の安らぎを得られることを知るのです。それは人生において、何ものにもかえがたいものなのです。

子どもに公平であれば、子どもは、正義感のある子に育つ

子どもにとって、公平と不公平はとても単純明快なことです。公平とは正しいこと、不公平とは間違ったことなのです。子どもの遊びの世界では、それがはっきりしています。ルールに従わずに不公平なことをすれば、仲間外れにされてしまいます。けれど、現実の人生には、そんなルールはありません。人生にも単純明快なルールがあったらどんなにいいだろう。それに従っていれば必ずうまくゆくルールというものがあれば……。そんなふうにわたしたち大人は時々思うものです。

わたしたち大人は人生の浮沈を経験しています。ですから、人生は思ったようにはいかないということを体で理解しています。しかし、子どもにはまだそれが分かりません。「そん

なの不公平だよ」と素直にそう思うのです。

七歳のサリーは、近所の子どもたちと遊んでいました。ところが、カン蹴りでズルがあったのです。サリーは、お母さんに訴えました。こんな時、親は、

「しょうがないわよ。そういうこともあるんだから」

と、真面目に取り合わないことがあります。しかし、それでは子どもの怒りは収まりません。こんなときは、どんなズルがあり、どう感じたのかということを聞いてあげるべきなのです。ただし、子どもの不平不満だけを聞いているだけではいけません。

「どうすれば、そうならなかったと思う?」

「こんどからは、どうすればいいと思う?」

こんなふうに問いかけるのです。子どもが、次回からはうまくいくように頑張ろうと思えるように、話を持っていくことが大切なのです。

家庭内でトラブルがあったときも同様です。子どもの不満や怒りを聞き入れ、互いの考えや要望についてきちんと話し合うことが大切です。子どもには子どもなりの言い分が必ずあるものなのですから。

親は公平に接していると思っていても、子どもからすればそうは見えないこともあります。それも一理あるのです。大切なことは、誤解がないように子どもに気持ちを伝えること

です。また、柔軟な態度で接することも大切です。子どもの話をきちんと聞き、子どもの意見を尊重すること。このことが、とりもなおさず、子どもに公平であるということになるのです。

子どもに公平に接するにはどうしたらよいか

「わたしは、自分の子どもたちには皆同じように接しています」

こんな親御さんの話を聞くたびに、わたしは、そんなはずはないと思ってしまいます。そんなことは、まず、無理な話だからです。もしかりにできたとしても、それが望ましいとも思えません。子どもはそれぞれ個性も性格も違います。ですから、その子に合った接し方をすることが大切なのです。ある子には十分なことも、別の子には不十分なこともあります。その子の年齢や性格に合わせ、また、その子が何を望み、どんな状態であるのかということを考えて、それぞれの子どもに合った接し方をすべきなのです。

親がどんなに気をつけていても、兄弟姉妹の間には、とかくライバル意識が生まれやすいものです。一見おもちゃや食べ物やお小遣いをめぐって争っているように見えるかもしれません。が、実は、子どもたちは親の愛情をめぐって争っているのです。親がどの子に関心を示し、手間暇《ひま》をかけているかに、子どもはとても敏感です。子どもは皆、自分も他の子と同じように大切にされ、愛されたいと思っているのです。

子どもが不満を訴えてきたら、親は反省しなくてはなりません。兄弟姉妹が張り合うことはよくあります。また、親も比べてしまうことがよくあります。これらは、ある程度しかたのないことともいえます。けれど、親は、自分では気づかぬうちに、子どもを追い詰めていることがあるのです。一見何気ないことでも、子どもの心に暗い影を落とす結果を招いてしまうことがあります。たとえば、どっちが早くお手伝いを済ませるか、宿題をやるかを競争させたりすることはありませんか。どっちが速いか、どっちが勝ったかという考え方は、家庭の場に持ち込むべきではないと、わたしは考えています。家庭とは、競争原理で動く場であってはならないからです。ほかの子と比べてではなく、その子自身のよさを認めてあげることが何よりも大切なのです。

そんな兄弟姉妹の間の不満を解消するためには、それぞれの子どもと二人きりになれる時間を作るのも一つの名案です。わたしの知り合いのある親御さんは、四歳と六歳と八歳の三人の男の子がいます。それで、喫茶店でモーニングを食べるなど、簡単な食事を順番に一人ずつ外でするようにしているのです。ふだん家では聞けないようなことを、子どもはこんな時なら話してくれます。学校のこと、友だちのこと、兄弟のことなど。子どもは親と二人きりなら何でも話せるのです。こんな習慣をつけていれば、子どもが十代という難しい年代に入ってからも、うまくコミュニケーションが取れるはずです。子どもは、親と二人きりになることによって、自分は親に大切にされていると実感することができます。これはとても大事なことです。もちろん、必ずしも外食をする必要はありません。家から離れるということがポイントなのです。二人で散歩をしたり、博物館に行ったり、公園でボートに乗ったりするのもいいでしょう。大切なのは、親が自分だけのために時間を作ってくれている、自分のことだけを見てくれていると、子どもが感じることなのです。

間違っているとはっきり言える人間になるために

学校生活のなかや友だちとの関係で、不正が行なわれていると感じたとき、はっきり抗議できる子――わが子はそんな子どもに育ってほしいものです。そのためには、まず家庭で訓練しなくてはなりません。家庭で自分の訴えを日頃から聞き入れられていれば、子どもは、外でも自分の言い分をきちんと伝えようとします。自分の言い分をきちんと相手に伝えれば物事は改善できるのだということが、日頃の家庭生活で身についているからです。

「ぼくは、もう大きいんだから」

夕食の後、九歳のアンディはそう訴えました。

「友だちはみんな、好きなだけ遅くまで起きているんだよ」

「好きなだけ遅くまで？」

お父さんは眼鏡ごしにアンディを見ました。

「少なくともぼくよりは遅くまでね」

「毎朝ぎりぎりまで寝てて、ママに起こされてやっと起きる人は誰でしょうね」

お母さんが言いました。

「ぼくだけど」

「今でさえそんな調子で、どうするつもりだい」

お父さんが言いました。

「じゃ、土曜日とかは？」

アンディは尋ねます。

「そうね、土曜日ならいいわね。何時まで起きていたいと思うの？」

お母さんは、何時まで起きていたいかをアンディに自分で決めさせることにしました。自分で決めれば、アンディも納得し、自分の決めたことには責任を持つこともできると思ったからです。

「八時間は眠らなくちゃならないから……」

アンディは考えて、時間を決めました。

「それでいいよ。そうしなさい」

お父さんも賛成しました。

「わーい」

アンディは不公平だと思っていた寝る時間を変えることができて、満足しました。

子どもが訴えてきたら、親はきちんと子どもと向かい合わなくてはなりません。そうしなければ、子どもは恨みをためたまま親の言うことに従うことになってしまいます。これでは、親子の間に溝《みぞ》ができてしまいます。子どもの言い分を聞かずに家庭内のルールを押しつけるのはよくないことです。自分の意見や考えが聞き入れられる家庭で育てば、子どもは、間違っていると思ったことをはっきり主張できるようになります。そうすれば、自分の考えを伝え、物事を前向きに改善してゆける子になるのです。

ある日、四年生のベティが、目に涙をためて学校から帰ってきました。

「先生は、一度も当ててくれないの」

ベティはお母さんに訴えました。

「わたしは答えが分かってるのに、手をあげても無視するの」

心配そうに聞いていたお母さんは言いました。

「先生はだれを当てるの？」

「男の子ばっかり。答えは全然合ってないのに」

ベティは恨めしそうに答えました。

「女の子は当てないの？」

「うん、あんまり」

ベティはちょっと考えていましたが、明るい声でこう言いました。

「わたしだけじゃなかったんだ。あの先生、女の子は当てないのよ」

「それは、おかしいわね」

お母さんは言いました。

「どうしたらいいかしらね。あなたはどう思うの？」

「お母さんが、先生に手紙を書いてくれたらいいんじゃないかな」

「そうね……。ほかに、何か手はないかしら？」

「お母さん、先生に会って話してくれる？」

「それがいいわ。三人で話すのが一番いいんじゃないかしら」

お母さんは、ベティの話を聞いてあげただけでなく、実際に行動してなんとかしようと思ったのです。ベティは、こんなお母さんの姿から、問題があったら行動して解決することの大切さを学んだのです。

勇気のある行動

子どもは、誰かがひどい目に遭っているのを目撃したり、逆に自分が被害者になる体験をすることもあります。学校の先生やスポーツのコーチがえこひいきする場合もあるかもしれません。また、いじめの対象になってしまったり、友だちがいじめられているのを目撃することもあるでしょう。

不公平なことが起こったら、きちんとそれを解決してゆく習慣が、日頃から家庭で身についているでしょうか。そんな家庭で育っていれば、子どもは、外の世界でも同じように行動することができるのです。

ある朝のことです。学校に向かっていた十歳のマイケルは、校庭の駐車場の隅で同じクラスの男の子たちが、一人の男の子を取り囲んでいるのを目にしました。みんなで、その男の子をいじめているようです。その子は人種の違う子でした。

マイケルは、どうしよう、と迷いました。彼は意を決して、男の子たちのほうへ行き、いじめられている子を呼びました。

「トム、早くしないと学校に遅れちゃうよ」

トムを囲んでいた男の子たちは、驚いて一斉《いっせい》に振り返り、マイケルのほうを見ました。そのすきに、トムはマイケルのほうへ走りより、二人で校門へと駆けていくことができました。

本当はマイケルは怖かったのです。ただ声をかけるだけであれ、一人で多数に向かうのは勇気のいることです。見て見ぬふりをすることもできたでしょう。ところで、マイケルは、この話を誰かに話すでしょうか。わたしはきっと誰にも話さないと思います。子どもは、家庭の外の世界であったことをすべて親に話すわけではありません。けれども、もしマイケルの両親がこれを知ったら、とても誇らしいと思うことでしょう。こんな勇気のあるやさしい子に育ってくれたことに感謝するのではないでしょうか。

子どもは、どうしようもない世の中の不正を目《ま》のあたりにすることもあります。十三歳のステラは、ある晩、両親とテレビでニュース特集を見ていました。その中に、劣悪な労働条件に苦しむ外国人季節労働者の姿が映し出されました。ステラはひどくショックを受けたようでした。

「あんな暮らしをしているなんて、ひどすぎる。どうして、もっとお給料を上げて、いい家に住めるようにしてあげないの。あの人たちのお給料よりも、シモンさんのベビーシッターでわたしがもらった時給のほうが高いなんて……」

両親はなんと答えていいのか分かりませんでした。しばらくしてから、お母さんが言いました。

「本当にステラの言うとおりよ。世の中は間違ったことだらけなのよ。悲しいことに」

「でも、なんとかならないの？」

ステラは真剣です。

「あの人たちが、もっとお給料をもらえるように、法律を作ったらいいんじゃない？」

「確かにそうね。きっとそういう動きはあると思うわ。でも、今すぐステラにも何かできることがあるんじゃないかしら？」

「うん……。でも、あの人たち、遠くに住んでるし。お金を送ったらいいのかな……」

「労働者を支援する団体があると思うよ」

お父さんが声を上げました。

「ホームレスの人や飢えている人に支援団体があるようにね。赤十字のこともステラは知っているだろう。外国人労働者を支援する団体もきっとあるよ。あの番組のテレビ局にオンラインで問い合わせてみよう」

「それがいいわ」

お母さんも賛成しました。

「そうしたら、ステラ、団体に寄付する？」

「寄付って、わたしのお小遣いをってこと？」

「ええ、そうよ。お母さんもステラと同じ分だけ寄付するわ。いや、ステラの二倍寄付するわ」

ステラはちょっと考えています。

「ステラ」

お父さんは、やさしい声で言いました。

「困っている人たちを助けたかったら、自分のことは我慢しなくちゃならないんだよ」

しばらく考えてからステラは言いました。

「お小遣い一週間分、寄付する」

「そうか。じゃ、テレビ局に問い合わせてみよう」

お父さんはそう言うと、腰を上げました。

「ステラは、いい子ね。お母さんはうれしいわ」

お母さんは、そう言いながら、娘の肩を抱きしめました。

両親の協力を得て、ステラは微力ながらも自分なりに世の中のために何かしようと思うことができました。自分一人が何をしても、どうせ世の中は変わらないと諦めたりはしなかったのです。

正義感の大切さ

子どもの正義感を育てるというと、何か大それたことのように聞こえるかもしれません。しかし、正義感は、何気ない日々の暮らしのなかで培《つちか》われるものです。親が、子どもを一人の人間として認め、公平であろうと努めていれば、子どもはその親の姿から学びます。やがて子どもは巣立ち、広い社会で独り立ちするときがやってきます。そのとき、どこまで世の不正を憎み、正義を貫くことのできる人間になれるか、それは決してたやすいことでありません。しかし、勇気をもって正義を貫くことは、人間として知ってほしい、きわめて大切な使命だとわたしは思うのです。

やさしく、思いやりをもって育てれば、子どもは、やさしい子に育つ

人を思いやるとは、どのようなことでしょうか。人を思いやることと、表面的な礼儀とは違います。礼儀正しく振る舞うことで相手を思いやっているように見せかけることはできますが、それは本当の思いやりではありません。子どもは親の姿から、人を思いやる気持ちを学びます。親が、家族を思いやり、敬う気持ちを持っていれば、子どもはそんな親の姿から、本当の意味での思いやりの心を学ぶのです。

人を思いやるとは、その人を敬い、やさしくすることです。それは、毎日のちょっとした仕草に表れるものです。夫婦が互いに敬い合い、子どもにもやさしく接していれば、子どもは自然にそれを学びます。人を思いやることは、ありのままのその人を受け入れ、その人の

気持ちを尊重し、時には自分の気持ちよりも優先させることなのです。

子どもが、たとえば動物と遊んでいたり、弟や妹の面倒をみたりして、思いやりを示したとしましょう。そんなときには、親は必ず誉めることです。そうすれば、子どもはやさしい心を伸ばしてゆきます。

人に対する思いやりの心は、わたしたちが生きているかぎり常に学ぶべきものです。わたしたち親自身も、時には、家族に対して思いやりに欠けることをしてしまいます。そんな時には、卒直に謝り、反省しなくてはなりません。そうすれば相手も許してくれることでしょう。子どもは、そんな親の姿から、人を思いやることは終生学びつづけることなのだということを知るのです。

思いやりの心を育てる

幼い子どもは、自分のことしか考えられません。赤ちゃんやよちよち歩きの幼児は、世界は自分を中心に回っていると思っています。これは、幼児の自然な成長の一過程です。幼児は、成長するにしたがって、この自己中心性を和《やわ》らげていきます。

人を思いやる気持ちを子どもに教える機会は、日常生活のあらゆる場面に訪れます。

先日、わたしは、四歳と八歳ぐらいの男の子を連れたお母さんを、スーパーで見かけました。三人は、キャットフードを買おうとカートに積んでいました。その時、一人のお年寄りが財布を落とし、中身が床に散らばってしまったのです。大きいほうの男の子は、すぐにカートから離れ、お年寄りに手をかしました。弟のほうは、そのままキャットフードの缶をカートに入れていました。そんな弟をお母さんはそっと促《うなが》しました。さりげなく弟の腕に触れて買物の手を止めさせ、そして、お兄ちゃんとお年寄りのほうへ顔を向けて、その子に気づかせたのです。二人に気づいた弟は、お兄ちゃんを手伝い始めました。このお母さんは、こんなふうにやさしく、さり気なく弟をしむけたのです。

思いやりとやさしさは、遊びを通して教えることもできます。

四歳のケニーとお母さんは、寝る前に部屋のおもちゃを片づけていました。お母さんはテディベアを布団に入れながら、トントンとやさしく叩いて言いました。

「さあ、テディちゃんは、これでぐっすりオネンネができるわよ」

ケニーもテディベアの毛布を掛けなおしながら言いました。

「テディ、おやすみ」

ケニーは、まるで弟のようにテディベアをかわいがっています。ですから、お母さんは、そんな「弟」に対してやさしく接することをケニーに教えたのです。ケニーは、こんなお母さんのおかげで、遊びながら、やさしい心を学ぶことができました。

子どもに、相手の気持ちを考えさせることも大切です。

七歳のジェニーとマリアは、さっきまでゲームで遊んでいました。ところが、ルールのことで喧嘩になってしまったのです。マリアは急に立ち上がり、帰ってしまいました。ジェニーは、お母さんに話を聞いてもらいたくて、台所へ行きました。

「マリアって、ほんとに変な人なの。負けるのがいやで、帰っちゃったの」

「何かあったの？　いつも仲良く遊んでるのに」

ジェニーは、ルールをめぐって喧嘩になったこと、マリアが悪いのだということを話しました。

「そう、そんなことがあったの……」

お母さんは、考えながら言いました。

「でも、その時マリアはどんな気持ちだったのかしら」

「え？　何が？」

ジェニーは少し驚いたようです。そして、しばらく考え込んでから言いました。

「あたし、マリアに電話する」

ジェニーはマリアと話しました。そして二人とも悪かったということで、仲直りしました。きちんと話し合うことができたのです。二人は、また同じようなことが起こったら、その場できちんと話し合って解決できることでしょう。

このお母さんは、マリアのことをジェニーの大切な友だちだと思っていました。そんなお母さんのおかげで、ジェニーはマリアの気持ちを思いやることができたのです。そして、大切な友情を保つことができたのでした。

子どもは、一人ではなかなか思いやりの重要さを学べません。親が導かなくてはならないのです。思いやりの心は、子ども時代に学ばなければなりません。大人になってからではとても苦労してしまうことでしょう。

ものの言い方

子どもに思いやりの心を教えるときには、親は言葉の使い方、特にものの言い方には注意したいものです。たとえば、

「ほら、お兄ちゃんの絵具入れが開けっぱなしよ。蓋《ふた》をして」

と言うのではなく、

「お兄ちゃんの絵具入れが開けっぱなしだわ。絵具が乾《かわ》いちゃうから、蓋をしてあげて。ダメになったら、お兄ちゃんががっかりするでしょ」

こんなふうに言えば、子どもは、何かするときに相手の気持ちを考えるという習慣を学び

やすくなります。

子どもに何かを頼んだり、何かをさせたりするときには、親も子どもの気持ちを考えることが大切です。たとえば、お父さんが、夜、家で仕事をしなければならない時は、前もって子どもに静かにするようにと話しておくべきです。何の説明もせずに、その時になって「静かにしろ」と子どもたちを叱りつけたとしたら、どうでしょうか。それは、親のほうが悪いのです。

また、子どもが見せるやさしい仕草を、そのつど誉めることも大切です。

五歳のマシューは、ベビー椅子に座った赤ちゃんの妹が、おもちゃを床に落としてしまったのを拾いました。

「ありがとう、マシュー。いい子だね」。お父さんは言いました。

マシューは、お父さんに誉められたので、自分のやったことはよいことなのだ、これからもそうしようと思いました。

物を大切にし、相手のプライバシーを尊重する

家庭生活で、家族が物をどんなふうに扱っているかも、子どもの心に大きな影響を与えます。親が、物を大切にしているか粗末に扱っているかで、子どもの態度も変わります。服は床に積み重ねたまま、工具は庭に出しっぱなし、ドアはバタンと閉める——これでは、子どもも同じことをするようになってしまいます。

家の中の物は、たとえ日用品であっても、みな大切に扱うべきです。また、大人と同じように子どもにも無断で使われたくない物があるということを、親は忘れてはなりません。

子どものプライバシーを守ることは大切です。子どもも幼いうちは、身支度からお風呂まで親に助けられなければ何もできません。それが、成長するにしたがって何でも自分でできるようになります。だんだん自分の身体への意識も強くなり、プライバシーが必要になってきます。たとえ親といえども、子どものプライバシーは守るべきです。また、子どもに、他人のプライバシーを守るように教えることも大切です。たとえば、人の部屋に入るときにはノックして返答があるまで待つといったようなことです。これは夫婦のプライバシーを守ることにも通じます。

思春期にさしかかった女の子には、特にプライバシーが必要になります。親だけでなく家族のみんなにも、その意識が必要です。もし、兄弟姉妹や叔父叔母などが身体の変化をからかったりしたら、厳しく注意するべきです。この時期の女の子には、周囲のあたたかい理解が何よりも大切なのです。

子どもは両親の関係を見ている

子どもに大きな影響力をもつのは、両親の夫婦仲です。子どもはよく見ています。口ではどんなに綺麗事を言っても、実際にどんなことをしているかのほうが、ずっと子どもに影響するのです。

八歳の双子のアンとエミリーは、一日中喧嘩をしていました。とうとうお母さんが痺《しび》れを切らして叫びました。

「もう、やめなさい。いいかげんにしなさい！」

アンとエミリーは、驚いてお母さんの顔を見上げました。そして、アンがこう言ったのです。

「でも、ママとパパだって、いつも喧嘩してるじゃない。どうして、あたしたちだけが怒られなくちゃならないの」

お母さんは、言葉を失いました。まさか、子どもにこんなことを言われるなんて思いもしなかったのです。でも、たしかにアンの言うとおりです。

子どもは、親の口調や仕草や表情をよく観察しているものです。喧嘩をしなければいい、という単純な問題ではありません。大切なのは、夫婦が日頃からどのように互いの不満を解消し、対立を解決しているか、そのコミュニケーションの取り方なのです。

相手を思いやる気持ちは、ちょっとした仕草《しぐさ》や口調に表れるものです。たとえば、わたしたちは「ありがとう」「悪いね」「ごめんなさい」といったやさしいことばを日頃から口にし、互いに助け合って暮らしているでしょうか。そんなお父さん、お母さんの姿を見て育てば、子どもは、それが人と人とのつきあい方なのだと思うようになるのです。

違いを認めて人を敬う

将来、子どもは成長して、異なった信条や人種や習慣の人々と一緒に生きてゆくことになります。家庭のなかでも、家族一人ひとりの個性や違いを認め、尊重し合って暮らしてゆきたいものです。そんな家庭で育てば、子どもは、偏見のない人間に成長するに違いありません。

普遍的な人間性を信じられる人間に成長してほしいと思います。たとえ人種や信条が異なっていても、人間が人間として持つ夢や願いはみな同じです。それが理解できる、偏見や差別意識のない大人に成長してほしいとわたしは強く願うのです。

人を敬うことのできる人間は、人からも敬われます。そんな大人になれるように、親は子どもを敬い、思いやりを持って育てたいものです。

昔から賢者や聖者が言っているように、毎日の暮らしのなかでのほんのささいな親切や思いやりこそが、人生の大いなる幸福につながるのです。

守ってあげれば、子どもは、強い子に育つ

親子の絆《きずな》が強い信頼で結ばれていれば、子どもの心は安定し、自信が生まれます。たとえどんなことがあっても、親は自分の味方になってくれる。どんなときにも自分を守り、支えてくれる。そう思えれば、子どもは親を心から信じることができるのです。

先日、わたしは、あるピアノの発表会に招かれました。十歳の男の子が「胡桃《くるみ》割り人形」のなかの一曲を一所懸命弾いていました。練習不足だったらしく、その子はあまり上手には弾《ひ》けませんでした。それでも、聴いていた人たちは、大きな拍手をしてあげました。舞台から降りると、男の子はお母さんに走り寄って、膝の上に乗りました。お母さんは、しばらくその子をそのまま抱きかかえていました。

お母さんの膝に乗るには、十歳の男の子は大きすぎました。それに、このお母さんは、実はとても教育熱心で、子どものピアノの練習にも厳しい人でした。それでも、男の子が膝の上に乗ってきたときには、そんなことはこのお母さんにとってどうでもよかったのです。「たとえうまく弾けなくても、お母さんはおまえの味方だよ」ということを、このお母さんは男の子に伝えたかったのだと思います。

これは、とても大切なことです。たとえ失敗しようと、上手にできなくとも、親はいつでも子どもの味方だということを、子どもに教えてほしいのです。

信じる者は強い

神を信じる、あるいはこの宇宙の存在を信じるといったように、「信じる」という言葉は、宗教的な、あるいは精神的なことがらを表現するときにしばしば使われます。

何かを「信じる」とは、どのようなことなのか。もちろん、様々な考え方があることでしょう。宗教を持たない人々でも、何か精神的に信じるものを持っています。自分の存在を超えた、より大きな何かを信じていれば、人生の苦難にも勇敢に立ち向かうことができるものです。「何かを信じる」ということは、信念を持つということです。信念のある人間は、自信を持って人生を歩んでゆくことができるのです。

子どもに自信をつけさせる

子どもは、成長と共に少しずつ自信をつけてゆきます。幼い子どもが「自分でできるよ」と言ったときから、自信の芽は伸び始めているのです。子どもの試行錯誤を見守り、支えつづけてほしい、と思います。

子どもが十分な自信をつけられるようになるまで、親は、何度も繰り返しトライさせることが大切です。それでも、時と場合によっては、手を差し伸べることが必要になります。そのバランスが大事なのです。

五歳のニコルは、ある夜、ベッドにもぐり込むと、お母さんに言いました。

「自転車の補助輪、外してもいい？」

「いいわよ」

お母さんは答えました。そして、翌日、ドライバーを使って二人で補助輪を外しました。けれど、補助輪なしの自転車に乗るのは大変です。お母さんが支えの手を荷台から離すと、ニコルはよろけてしまいます。

その晩、ニコルは言いました。

「また補助輪、つけてもいい？」

「いいわよ。明日、つけましょうね」。お母さんは答えました。

次の日の朝、補助輪なしの自転車がニコルを待っていました。

「補助輪をつける前に、もう一度、乗ってみる？」

もしかしたら、うまくいくのではないかと思いながら、お母さんは、さり気なく尋ねました。

「うん、乗ってみる」

お母さんが気楽に言ってくれたので、ニコルも楽な気持ちでやってみようと思えたのです。

おかげで、うまくいきました。お母さんが手を離しても、ニコルは走り続けることができたのです。真剣な顔でハンドルを握り締め、自転車を操作することができました。

お母さんのやり方が功を奏したのです。ニコルが「また補助輪をつけてほしい」と言うのをお母さんは聞き入れました。その上で、もう一度トライさせてみたのです。ニコルにプレッシャーをかけることなく、さり気なくやる気にさせました。

ニコルは今後も転ぶことがあるでしょう。それは当然です。目標を高く持てば、失敗することもあります。しかし、そんな時こそ、わたしたちは自分を信じ、頑張らなくてはなりません。子どもに自分を信じることを教えるのは、とても大事なことなのです。

子どもに信用される親になる

子どもは、親は約束を守ってくれると期待しています。親の言ったことを信じ、言ったとおりにやってくれると信じているのです。ですから、親は、そんな子どもの期待に応えなくてはなりません。そうすれば、子どもは親を信頼するようになります。

親は、子どもが大きくなるまでに、数えきれないほどの約束をします。親はそのつもりではなくても、子どもは親の言ったことは約束だと思います。たとえば、何時に迎えに行くと言えば、子どもはそれを信じるのです。もし、いつも時間に遅れたり、すっぽかしたりしていたら、子どもは、そんな親を信用できなくなります。自分のことなんてどうでもいいと思っているのだとがっかりしてしまうのです。

もし急用ができて、子どもとの約束の時間に間に合わないとしたら、子どもに電話で連絡すべきです。会社の上司や取り引き先の相手には気を使うのに、子どもにはそうしなくてもよいかといえば、もちろんそんなことはありません。いつも待ちぼうけを食っている子どもや、最後になるまで親が迎えに来ない子どもは、とても悲しそうな顔をしています。子どもの顔は正直です。

その日、ＹＭＣＡの水泳教室が終わっても、まだお母さんは迎えに来ません。友だちはもうみんなそれぞれの車で帰ってしまったのに、最後まで待たせてしまったのです。やっとお母さんが来たとき、七歳のマンディは、ため息をつきながら車に乗り込みました。お母さんは、いつものように弁解を始めました。どうしてこんなに遅れてしまったのかを。

マンディは答えず、虚《うつ》ろな目をしています。もうお母さんは、信用できません。期待して裏切られるぐらいなら、最初から当てにしないほうがましだからです。お母さんはそういう人なのです。マンディは、諦めてしまいました。とはいっても、心は痛みます。お母さんのことも信じられないし、だいいち、こんな仕打ちを受ける自分が情けないと思います。もし本当に自分のことを大切に思っているなら、こんな思いはさせないように、もっと早く来てくれるはずなのですから……。

わたしは、先日、四年生の女の子たちが週末に映画へ行く計画を立てているのを小耳にはさみました。一人の女の子が、もう一人にこう言っていました。

「あなたのお母さんに車を出してもらおうよ。そうすれば、絶対大丈夫だから」

この子の言葉に、ほかの女の子たちも賛成しました。だれのお母さんがいちばん信用できるか、女の子たちはちゃんと分かっていたのです。

ときには楽しいことも

子どもは毎日新しい体験をし、新たなことを学んで成長しています。ですから、家庭は、いつもおだやかで、安心できる場でなくてはなりません。けれども、そんな平和な家庭生活にも、時には変化がほしいものです。

ある土曜日の晩、エレーンの家にスーザンおばさんが遊びに来ました。そして、一緒に食卓を囲みました。八時を回ったころ、おばさんはリビングのみんなを見回してこう言いました。

「誰か、映画に行かない？」

お母さんとお父さんはソファでくつろいでいます。十一歳のエレーンが手を挙げて、大きな声で名のりを上げました。

「あたし、行きたい」

「でも、もう、ちょっと遅くない？」

お母さんが言いました。

「映画は七時ごろからじゃない？」

エレーンは、懇願するような目で、お母さんを見つめました。おばさんが言いました。

「あら、大丈夫よ。レイトショウを見ればいいんだから。今、家を出れば、ちょっとお店を覗《のぞ》けるし、アイスなんかも食べられるし」

「レイトショウ？」

そう言ったお父さんは、「だめだよ」と言いたかったのです。でも、思いとどまりました。レイトショウならば、ずいぶんおそくまで起きていることになります。けれど、今日は土曜日ですし、時にはこんなふうにスーザンおばさんと楽しい一夜を過ごすのもいいだろうと思ったのです。お父さんは、お母さんに言いました。

「いいじゃないか。明日は遅くまで寝ていられるんだし、たまにはスーザンと出かけるのも楽しいだろう」

「ほんとうね。でも、映画が終わったらすぐ帰ってくるのよ」

お母さんは言いました。

「楽しんでいらっしゃい」

家庭生活の習慣を破るような楽しい出来事を体験させるのも、子どもには大事なことです。そんなわくわくする体験を、子どもは一生覚えています。日常生活から離れた新鮮な体験だからです。

エレーンたちが帰ってきたのは、夜中でした。しかしそれは、エレーンにとって忘れられない楽しい一夜になりました。

「夜の街って、匂いまで違うの！　知らなかった！」

エレーンは、両親に「ありがとう」と言いながらお休みなさいをしました。

自信とは、自分を信じること

自分を信じて決断することが、わたしたちの行動の原動力になります。子どもも同じです。自分の考えがあやふやで、自信がなければ、人にふりまわされる弱い子になってしまいます。そんな子にしないためには、まず親が子どもを信じることが大切です。

十歳のアンドリューがキャンプ場から家に電話をしてきました。友だちとトラブルがあったのです。

「そいつ、カヌーで組もうって、自分から言ってきたくせに、湖に着いたら、ぼくを無視して、他の子と組んだの。それに、アーミーナイフを貸したら、返してくれないんだ。それに、漕いでるときのぼくの顔は、アヒルにそっくりだって言うんだよ」

お父さんは、二四〇キロ離れた場所から聞こえてくる息子の声に、じっと耳をすませました。今すぐ車に飛び乗り、キャンプ場へ行き、先生と話したいと思いました。でも、気を落ち着けて、こう息子に尋ねました。

「それじゃ、アンドリューはどうすればいいと思う？」

息子は答えて言いました。

「あのね、ぼく、他の友だちとカヌーに乗ったんだ。それにさ、アヒルに似てるとしたら、すごく速いアヒルだと思うよ。だって、競争で三等だったんだもん」

「そうか。偉いぞ、アンドリュー」

「ナイフを返せって、あいつに言ってやるんだ。キャンプでいるんだもん。返してくれなかったら、先生に言いつけてやる」

「そうだよ。それでいいんだよ」

お父さんは、強く言いました。

アンドリューは、自信を持って相手に抗議するつもりです。第三者から見れば、当然のことに見えるでしょう。けれども、なかには、似たような目に遭っているのに、そのまま抗議することができない子もいます。お父さんは、この子なら自力で解決できると、アンドリューを信じたのです。

親なら誰しも、子どもが、自分自身を信じ、人も信じることのできる子に育ってほしいと願います。また、人にひどいことをされた時には、きちんと抗議できる子になってほしいとも思うものです。子どもが、人との約束を守り、人から信頼される子に成長してほしいと思うのです。

自信は子どもの将来を決める

親は、子どもとずっと一緒にいられるわけではありません。しかし、子どもの時代をとおして、どんなことがあっても、親はいつも子どもの味方だということを教えることはできます。そうすれば子どもは、大人になってからも、強く生きていける子に育ちます。

子どもに自信をつけさせることは、子どもの将来への、親からの大きな贈り物です。自分を信じられる子は、将来、仕事でも力を発揮することができるでしょう。自分の力で道を切り拓《ひら》いてゆくことができるはずです。また、人を信じることができれば、よい恋をし、愛し合い、温かい家庭を築くことができるようになるものです。

自信がなく、自分を信じることができなければ、人生に対して悲観的になりがちです。そして、すぐに挫けてしまうようになってしまうものです。自分にはできる、自分は人にもやさしくできると信じられれば、どんなときでも挫けず頑張ってゆけるのです。

自信のある子に育てるのは、決して難しいことではありません。親の育て方次第なのです。それには、子どもを信じ、可能性を信じることが何より大切です。子どもへの信頼を子どもに伝えてください。子どもは、そんな親に支えられて、自分を信じ、伸びていくのです。

和気あいあいとした家庭で育てば、子どもは、この世の中はいいところだと思えるようになる

子どもが初めて出会う世界は、家庭です。子どもは、家庭生活での両親の姿をとおして、価値観や生き方を学びます。むしろ親が意識していない言動から、子どもは強く影響を受けるのです。

このように、子どもが初めて出会う世界である家庭――それをわたしたち親は、どんな場所にしているでしょうか。子どもにやさしく語りかけているでしょうか。あるがままの子どもを見ているでしょうか。無理に変えようとはしていないでしょうか。子どもを信じ、いい子だと思っているでしょうか。子どもの話に熱心に耳を傾けているでしょうか。

子どもを誉め、励まし、認めれば、家庭は温かな場となります。子どもが失敗しても許

し、欠点も受け入れることです。子どもを理解し、思いやる気持ちが大切なのです。厳しくしつけなくてはならないときでも、頭ごなしに叱りつけたり、無理やり従わせたりしてはいけません。子どもを信じ、支えることが大切なのです。

子どもが成人して家庭を持ったとき、手本とするのは、自分の生まれ育った家庭です。わたしたち親は、子どもとの間に深い絆《きずな》を築いてゆきたいものです。そんな絆があれば、子どもが成人して家庭を持ってからはなおさらのこと、祝祭日の家族の集まりに喜んでやって来るでしょう。人と人とのつながりに喜びを感じる人間になるはずです。

家族はもちつもたれつ

わたしたちは普通、日々、家族がどんなふうに助け合って暮らしているかをあまり意識することはありません。家庭内の助け合いは、家庭外で人とどのように協力してゆくかの基礎となります。親が子どもの手本となるのと同じように、家庭は社会生活の手本となります。子どもが家庭生活で経験することは、友人関係や学校生活で生かされるのです。洗面所、テレビ、車などを家族でどのように分かち合って使っているか。そのようなことをとおして、子どもは、人との協力や責任というものを学んでゆきます。

感謝祭のご馳走を食べ終わり、みんなで片づけを始めたときのことでした。皿洗い機の中の食器を片づけておくのは、九歳のジョーイの仕事でした。でも、ジョーイはうきうきしていて、すっかり忘れていました。それで、家族みんなが大迷惑です。食卓を片づけていた十一歳のクリスティンは、食器を皿洗い機に入れられないので、台所のカウンターの上に積み上げました。それで、残った七面鳥を冷蔵庫に入れようとしていたお母さんは、作業をするスペースがなくなってしまいました。ルーシーおばさんは、流しでポットを洗い始めています。七面鳥は固くなってしまうし、台所はパニック状態です。食後のコーヒーを入れたお父さんは、カップを探しています。でも、カップはまだ皿洗い機の中なのです……。

お母さんは、パニックの原因に気づきました。食堂にいるジョーイに大きな声で言いました。

「ジョーイ、すぐ来て、食器を片づけて。もう大変なんだから」

ジョーイは、はっとして、食卓から飛び上がりました。よりによって、今日にかぎって……。

ジョーイは、すぐに皿洗い機の中を、お姉さんに手伝ってもらいながら片づけました。こうして、台所のパニックはやっと収まりました。

ジョーイは、自分がついうっかりしたばかりに、みんながどんなに迷惑するかがよく分かったと思います。これは、極端な例に思えるかもしれません。が、家族というものは一人一人が助け合って暮らしているのです。それが十分分かっていれば、子どもは、外の世界での人間関係でも、人を助け、協力できるようになります。人と力を合わせ、和《わ》を重んじることができれば、子どもは友だちや近所の人々からも好かれ、楽しく暮らしてゆくことができます。

親戚や友だち

家族の形態は変わりつつあります。母親と父親の両方そろっている家庭が当たり前というのは、もはや過去の話です。親は一人だけの子、お祖母さんや親戚の人に育てられている子、あるいは母親と父親が二人いる子など、家族の形態は様々です。しかし、たとえ誰に育てられようとも、子どもにとっていちばん大切なことは、かけがえのない存在として愛されることなのです。

子どもを愛してくれる人は、親だけではなく、親戚縁者にもいます。親は全能ではありません。かわいがってくれる親戚縁者がいれば、子どもの世界は広がり、何かとプラスになるでしょう。

九歳のジミーは、プラモデルの飛行機がうまく作れなくていらいらしています。誰か手伝ってくれないでしょうか。残念なことに、お父さんはほかのことで手がふさがっています。

それに、実はプラモデルが好きではありません。でも、お祖父ちゃんはプラモデルが好きだし、何よりも孫と遊ぶのが大好きです。

一緒に遊んでもらうことで、子どもは、お祖父ちゃん、お祖母ちゃんの愛情を感じます。そして、お祖父ちゃんやお祖母ちゃんでなければ教えてもらえないことを学ぶのです。お祖父ちゃんやお祖母ちゃんは、自分の子どもにしてやれなかったことも、時間が自由になる今なら孫にはしてやることができます。若い頃は仕事中心だった人も、老後は家族を第一に考えるようになるものです。

わたしが主催している祖父母のための子育て教室では、よく年配の婦人から、こんな後悔の言葉を聞きます。

「自分が母親だったとき、もっと子どもと遊んであげればよかった。あんなに忙しくしていないで……」

子どもと一緒に遊んで絆を深めることが、家族全体の絆を深めることにつながるのだ――そのことにこの婦人は今になってみて気づいたのでしょう。

かわいがってくれる親戚の人々も、子どもの強い味方です。

デール伯母さんは、十二歳の姪のミーガンを学校に迎えに行って、驚かせることがあります。デール伯母さんは、ミーガンにアイスクリームやココアをおごってくれたりもします。

友だちと一緒に近くのプールに連れていってくれることもあります。わざわざミュージカルを見に遠くの街まで連れていってくれたこともありました。思春期のミーガンは、友だちとのことで悩むことがあります。そんなとき、親にはあまり言いたくないことでも、デール伯母さんになら相談できます。伯母さんはいつも親身になって話を聞いてくれます。デール伯母さんは、ミーガンにとって大切な「家族」の一人なのです。こんな姪思いの伯母さんがいてくれることは、ミーガンの両親にとっても心強いことに違いありません。

親戚が近くにいなかったり、いても、あいにく疎遠になっていたとしても、わたしたちには友だちがいるものです。わたしの主催するあるセミナーで、こんな話をしてくれた女性がいました。

「母親が亡くなってから、母親の友だちが、よく遊びにきてくれるようになりました。この方は、お孫さんがいなかったので、わたしの生まれたばかりの娘のことを、とてもかわいがってくれました。わたしには、この方は亡くなった母のように感じられ、感謝しています。娘が大きくなるまで、ずっとこの方は娘の『お祖母ちゃん』でした」

親戚や友だちといった家族以外の結びつきがあると、子どもの世界は広がります。子どもは、よい刺激を受け、楽しいことも増えます。親以外にも支えてくれる人がいるのだということを実感し、心強く感じるのです。かわいがってくれる大人の存在が多ければ多いほど、学ぶことや見習うことが多く、子どもの世界は豊かになるのです。

親族の集まり

お祝いや年中行事の際の親族の集まりは、子どもにとってとても大切です。一族が集まった席で、子どもたちは一緒に遊びます。大人たちは、なんて大きくなったんだろう、なんてお利口になったんだろう、なんてきれいになったんだろう、なんて逞しくなったんだろうと、子どもたちの姿を見て口々に驚きの声をあげたりします。そんな時、子どもは照れたり、恥ずかしそうにしたりしますが、自分が愛され、大切に思われているということを感じているのです。すぐ遊びに立ってしまったとしても……。

子どもは、大きくなってからも、一族の集まりに参加することで、親族の絆を感じます。親族との絆は、将来独り立ちするときの心の支えになります。一族の集まりは、一つの儀式であり、自分たちの出自を知り、先祖からの繋がりを祝い、昔話を語るときなのです。子どもは、親の子ども時代の話を聞くのが好きなものです。親の知られざる一面を垣間見、過去を知る貴重な体験となるからです。子どもは、親の昔話を聞くことで、時の経過というものを理解します。自分の親もかつては子どもだったように、今子どもである自分もいずれは親になるのだということを認識するのです。

和気あいあいとした家庭で育てば、
子どもは、この世の中はいいところだと思えるようになる

また、親族の祝いの席で、子どもは、親の意外な一面を発見することがあります。親がこんなことをするなんてと子どもはびっくりし、わくわくします。たとえば、裸足になって昔の曲に合わせて夜中まで踊りまくる親の姿を見て、子どもは驚くでしょう。そんな羽目《はめ》を外した姿も、お祝いの席では許されるのです。

親族の祝いの席からの帰り道、ビリーはお父さんにこう尋ねました。

「お父さん、知ってた？　お父さんは、マイクの大好きな伯父さんなんだよね」

お父さんは、微笑んで答えました。

「うん、そうみたいだね」

「ああ！　ぼく、全然知らなかったよ」

ビリーは、お父さんのことを改めて尊敬したのです。仲良しの従兄がお父さんのことを大好きなのだということを知って。

また、親族の集まりの席に参加することで、子どもは、時が流れ、自分が成長しているのだと実感します。それが例年の行事であればなおさらのことです。わたしたちはよく写真を撮ります。子どもは、そんな写真を見て、自分が一年の間にどんなに大きくなったかを知ることができます。前の世代が撮った家族写真に似せて、同じ構図で自分たちの世代の写真を撮ってみるのも一興《いっきょう》でしょう。昔の写真と比べてみると楽しいものです。

親族の集まりは、一族の儀式を行なうときでもあります。わたしの親族の集まりでは、食卓を囲んで手をつなぎ、来られなかった者たちのためにキャンドルを灯します。そのともしびのもと、静かに祈るのです。

毎日が楽しい日

祝祭日ではない普通の日でも、お祭り気分を楽しむことができます。つまらない日常も、気分を変えれば特別な日になります。

冬休みも終わりに近づいたころのことです。お母さんは、自分の四人の子どもと、遊びに来ている従兄とが、一緒に何か楽しく遊べることはないだろうかと考えていました。子どもたちは、新しいおもちゃにも飽きていました。それに、悪天候で外へも行けず、退屈しきっていたのです。

「いいこと考えた」

ある晩、お母さんは言いました。

「ビーチパーティーを開きましょう」

四歳から十一歳までの子どもたちは、お母さんの言葉に耳を疑いました。

「嘘でしょう」

いちばん上の子が言いました。

「本当よ。どうするか計画を立てましょう」

お母さんは、そう答えると、何を食べるか、何を持って行くかのリストを作り始めました。

「でも、外は死ぬほど寒いよ」

一人が反論しました。お母さんは答えました。

「家のなかでやるのよ。ランプをつけて、日焼けするの」

子どもたちは、すっかりその気になりました。何を着ていくか、どんなおもちゃを持っていくか、どんなCDを聴くか、そしてもちろん、何を食べたいか、口々に相談し始めました。お母さんは、ホットドックとサモール（マシュマロの焼き菓子）を持ってゆく約束をしました。

翌日は、とても寒い日でした。お母さんはヒーターをつけ、お父さんは暖炉に薪《まき》をくべました。みんなでテーブルやソファを部屋の隅に片づけ、ビーチマットを敷いてアイスクーラーを置きました。お父さんはビーチパラソルを広げ、ビーチボールを膨らませ、ビーチボーイズのCDをかけました。準備完了です。子どもたちは、はしゃぎながら水着に着替え、サングラスをかけ、甘い香りのする日焼けローションをたっぷり塗りました。

ハンガーを焼き串にして、食べ物を焼きました。子どもたちは笑いながら遊び興じています。こんな「ビーチパーティー」も終わると、子どもたちは、家に帰ってきて、その日がどんなに特別な一日だったかを語り合いました。十一歳の子は言いました。

「めちゃくちゃ楽しかった」

いちばん下の子も言いました。

「明日もやりたい！」

家族と一緒に楽しいことができるのは大事なことです。いつも家族以外のところにしか楽しみを求められないようでは困ってしまいます。笑い声の絶えない家庭なら、子どもは、いくつになっても、家族と共に過ごす時間を大切にするものなのです。

未来へ向かって

わたしたちが大人になってから思い出す家庭の姿は、何げない日常の暮らしの光景です。将来、子どもの恋愛や結婚や家庭生活に影響するのは、そんな日々の生活の体験なのです。

親としていちばん大切なことは、子どもに何を言うかではありません。また、心の中で何を思っているかでもありません。子どもと一緒に何をするか、なのです。親の価値観は、行動によって子どもに伝わるのです。毎日の暮らしのなかで、親がどんなふうに子どもに接し、どんな生き方をしているか。それが子どもの生涯の手本となり、子ども自身が親になったとき、ものを言うのです。親が愛情をもって子どもを育てれば、その愛の行為は、世代から世代へと確実に受け継がれてゆきます。

子どもを励まし、許し、誉めること。子どもを受け止め、肯定し、認めること。誠実とやさしさと思いやりを身をもって示すこと――それが親の役目です。子どもは誰の子であろうとも、皆、このような親を必要としているのです。

子どもは皆、すばらしい存在です。隣の子どもも、隣町の子どもも、遠くの国の子どもも。そのすばらしさをどのように伸ばすかは、わたしたち大人次第なのです。子どもたちは皆、わたしたちの未来を背負った、わたしたちすべての子どもなのです。戦争や飢餓や差別を少しでも減らすことのできる未来――地球上のすべての人々が人間という家族になれる未来。そんな未来を子どもたちに授けることができるように、わたしたちは、できるだけのことをしたいと思います。

わたしたち大人が子どもを導けば、子どもは、この世の中はいいところだ、自分も頑張って生きていこうと思えるようになるのです。

推薦のことば

『心のチキンスープ』『母の心のチキンスープ』の著者
ジャック・キャンフィールド

詩「子は親の鏡」に出会ったのは、七〇年代初めのことです。当時、わたしは子どもにやる気を出させるために教師は何をすべきかという本を書いていました。「子は親の鏡」を読んでとても感動したわたしは、この詩を学校の同僚全員に配って回りました。この詩には、真実が実に簡潔な言葉で表現されていたからです。

数年後、思ってもみなかったことですが、ある心理学の学会で、この詩の作者のドロシーと彼女の夫のクロードに実際に会うことができました。二人は、わたしを歓迎してくれました。二人は、詩「子は親の鏡」を地でいっているような魅力的な先輩でした。当時、まだ新米の教師だったわたしは、自分が教育者としてこれでいいのか、子どもたちを本当に伸ばす教育とはどんな教育なのか悩んでいました。そんなわたしを、二人は励まし、助言を与えてくれました。

教室で子どもたちとどう関わったらよいのかを、わたしは詩「子は親の鏡」によって教えられたと、思います。そして、わたし自身が親になってからは、この詩は三人の息子たちの子育ての手本となりました。言うは易し、行なうは難しではありますが……。

わたしは、三十年間教師として働き、子育て教室の講師もしてきました。そんな長年の経験から、わたしはこう実感しています。親は誰でもみな子どもを愛している。やさしくありたい、誠実でありたい、公平でありたいと強く願っている。ところが、どうしたらそんな親になれるのかが分からずに悩んでいる親御さんが現実には大勢いるのです。どんなふうに子どもとコミュニケーションを取ったらいいのか、どんなしつけをしたらいいのかが分からないために悩みを抱えてしまっているのです。

たとえば、こんな話を交わす夫婦は、まずいないでしょう。

「息子のビリーをダメにする四つの方法を思いついた。ビリーのことを決めつける。馬鹿にする。けなす。嘘をつく」

子どもをわざと傷つけようと思う親などいるはずがありません。それでも、ときにはそうしてしまうのです。もちろん、わざとではありません。親は知らず知らずのうちに、ある時は自分の弱さから、ある時は自分を守るために、子どもを傷つけてしまうことがあるのです。

そんなことをしないために、親は十分気を配り、自分を律しなくてはなりません。これはかなり難しいことかもしれません。しかし、子どもがのびのびと幸せに育ってほしいという強い願いがあれば、意識的に自分を変えていくことはできるはずなのです。

本書『子は親の鏡』で、ドロシー・ロー・ノルトは、詩を一連ごとに取り上げて、子育てで大切なことは何であるかを説いています。そして、実際に子どもにどう接したらよいのかを実例をとおして具体的に示しています。どうしたら子どもを否定せずに許すことができるか、どうしたら子どもを決めつけずに受け入れることができるか、どうしたら子どもを貶《けな》さず励ますことができるか、どうしたら頭ごなしに叱りつけずにあたたかい目で見守ってあげられるか——。それをノルトは、実に真摯《しんし》に、わたししたちに語りかけてくれるのです。

また、本書を読むと、よい配偶者、よい教師、よい上司になるためにはどうしたらよいのか、そんな知恵も同時に学ぶことができるでしょう。愛情と思いやりに満ちた豊かな人間関係を築くためにはどうしたらいいか、そのルールと方法とを本書は教えてくれます。もし、この社会のすべての人間がこのルールを実行したら、暴力や争いは避けられ、職場での摩擦も少なくなり、学校教育はより充実するに違いありません。犯罪や貧困や薬物に関する問題も減ることでしょう。このような社会問題は家庭から始まるものなのです。わたしたちがよい親となることが、結局は、現在直面している大きな社会問題の解決につながることになるのです。

あなたは、きっとそのままでも十分によい親御さんだと思います。でも、本書を読み進めるうちに、今以上によい親になれると気づかれ、微笑まれるに違いありません。明るくて積極的でがまん強い子、素直でやさしくて頑張り屋の子、親切で正直で公平で誰からも好かれる子——わが子をそんな子どもに育てることができるのです。こんな子どもたちが大人になった世界を想像してみてください。それは夢ではありません。ドロシーもそう信じています。わたしたちが人を育てる仕事を続けていくことができるのは、そう信じることができるからなのです。

親という仕事は尊い仕事です。わたしたち親は、わが子のためだけではなく、すべての人間のために、よりよい未来を築かなくてはなりません。本書を読んで、あなたは、子育てで最も大切なことは何かを学ぶことができます。どんなに時間がかかったとしても、わたしたちの意識が変われば、この世界は必ずよくなるはずなのです。

〈著者紹介〉

ドロシー・ロー・ノルト（Dorothy Law Nolte）

家庭教育に生涯を捧げる教育家。40年以上にわたって家族関係についての授業や講演を行ない、家庭教育の子育てコンサルタントを務めている。三人の子どもを持つ母親、二人の孫の祖母であり、ひ孫も五人いる。南カリフォルニアに暮らす。ノルトとハリスは友人として、教師として、30年近いつきあいがある。

レイチャル・ハリス（Rachel Harris）

精神科医。臨床ソーシャルワーカー。大学院で家族療法と子育て教育を学んだ。

〈訳者略歴〉

石井千春（いしい　ちはる）

東京生まれ。翻訳家。早稲田大学大学院英文学専攻修了。

マカレスター大学留学。

訳書に『長続きするカップルには理由《わけ》がある』（飛鳥新社）など。

子どもが育つ魔法の言葉

1999年9月20日　第1版第1刷発行

2001年11月28日　第1版第73刷発行

著　者　ドロシー・ロー・ノルト

　　　　レイチャル・ハリス

訳　者　石井千春

発行者　江口克彦

発行所　PHP研究所

東京本部　〒102-8331　千代田区三番町3番地10

第三出版部　☎03-3239-6256

普及一部　☎03-3239-6233

京都本部　〒601-8411　京都市南区西九条北ノ内町11

PHP INTERFACE　http://www.php.co.jp/

印刷所　株式会社精興社

製本所　株式会社大進堂

ISBN4-569-60738-1